La face cachée
du 11 septembre

Du même auteur

Vodka Cola (en collaboration avec Charles Levinson), Stock, 1977.
La Puce et les Géants, préface de Fernand Braudel, Fayard, 1983.
La Corde pour les pendre, Fayard, 1985.
Karl Marx Avenue, roman, Olivier Orban, 1987.
Un espion en exil, roman, Olivier Orban, 1988.
Guerre du Golfe (en collaboration avec Pierre Salinger), Olivier Orban, 1990.
Tempête du désert, Olivier Orban, 1991.
La Mémoire d'un roi, entretiens avec Hassan II, Plon, 1993.
Les Fous de la paix (en collaboration avec Marek Halter), Plon/Laffont, 1994.
Guerre du Kosovo, le dossier secret, Plon, 1999.
Le Grand Mensonge, Plon, 2001.
La Guerre des Bush, Plon, 2003.
Le Monde secret de Bush, Plon, 2003.

Eric Laurent

La face cachée du 11 septembre

Editions de Grenelle

© Plon, 2004.
ISBN : 2-259-20030-3

Ce livre est dédié à Maria Grazia Cutulli du *Corriere della Sera*, Julio Fuente d'*El Mundo*, Harry Burtons de Reuters Australia et Azizullah Haidary de Reuters Afghanistan, dont les noms figurent sur le fronton de l'hôtel Spinghar à Jalalabad. Ils sont morts le 19 novembre 2001 en couvrant la guerre en Afghanistan.

Introduction

Nous avons vécu un XXᵉ siècle qui fut, selon la formule si juste de Jean Laloy, « un monde plein d'idées européennes devenues folles ». Berlin illustrait cette double dérive, nazisme et communisme.

Le 9 novembre 1989 au soir, j'étais dans l'ancienne capitale du Reich au milieu d'une foule incrédule puis euphorique, tandis qu'à quelques mètres les premiers pans de béton du mur s'effondraient. Cette nuit froide marquait la fin du communisme et de l'empire soviétique.

Sept mois plus tard, à Washington, Zbigniew Brzezinski, un des penseurs politiques américains les plus influents, me confiait, lui-même étonné par cette brusque accélération de l'histoire : « C'est vraiment étrange, le communisme né avec ce siècle, va mourir avec lui. »

Désormais, la parenthèse totalitaire semblait refermée et l'idéal démocratique renforcé. Pourtant Brzezinski, penseur et stratège, avait allumé, dix ans auparavant, une mèche qui s'était consumée lentement mais avait abouti à une conflagration dont nous mesurons mal, encore aujourd'hui, tous les dommages causés.

En 1979, juste après l'invasion soviétique de l'Afghanistan, il avait convaincu Jimmy Carter, dont il était le principal conseiller, de soutenir et d'armer les moudjahidin afghans. Ousama Bin Laden et Al Qaeda « naquirent » durant ce conflit. Vingt-deux ans plus tard l'Occident en état de choc découvrait l'ampleur du danger.

J'ai vécu le 11 septembre comme chacun, horrifié et fasciné, alors que les images défilaient en bande sur les écrans, décomposant cette tragédie en trois séquences : les avions percutent les tours, les corps basculent dans le vide, puis l'effondrement final.

Un nouvel ennemi, clairement identifié, venait de frapper : le terrorisme islamique succédait au communisme.

L'idée de ce livre est née dans les semaines qui ont suivi le 11 septembre, alors que trop de questions restaient toujours sans réponse et que de nombreuses contradictions demeuraient inexpliquées, rendant la réalité plus brouillée à mes yeux.

J'aime l'idée que le mot *histoire*, en grec ancien, signifie *enquête*.

Mon enquête n'a véritablement commencé qu'en 2003. Deux ans après les événements, la vérité officielle s'était efforcée de faire disparaître les multiples zones d'ombre et indices troublants sur lesquels justement j'ai concentré mes recherches. Elles m'ont conduit en Afghanistan, au Pakistan, en Irak, à Dubaï, au Qatar, aux Etats-Unis, en Israël et en Grande-Bretagne pendant près de dix mois.

Le silence est le plus sûr moyen de tuer la vérité et tout au long de mon enquête j'ai été confronté à une véritable loi du silence qu'il a fallu contourner. Certains interlocuteurs se dérobaient à mes questions, par peur ou gênés.

Les informations recueillies dans ce livre, que j'ai voulu sans complaisance, battent en brèche les vérités admises et brossent un tableau inquiétant, troublant.

Existe-t-il un avant et après 11 septembre ? L'événement a-t-il marqué l'avènement d'un monde nouveau

comme le pensent de nombreux observateurs ? Si tel est
le cas, ce tournant radical s'est bâti sur une série de mensonges d'une gravité inouïe. C'est tout le contenu de ce
livre.

Eric Laurent
3 septembre 2004

1

Le vent de Kaboul

L'Afghanistan est avant tout un pays où la violence des vents efface tout repère. Brusquement, le sable et la poussière vous enveloppent, faisant disparaître la trace des routes, les reliefs montagneux. C'est un lieu où l'évidence se dérobe constamment aux raisonnements. Kaboul, enjeu de toutes les guerres, l'illustre parfaitement. En ce début d'été 2004, la capitale afghane apparaît assoupie, écrasée par la chaleur ; soudain des rafales parcourent les rues, soulèvent des nuages épais, et la ville voilée se soustrait aux regards comme les femmes en burquas qui peuplent ses rues.

J'ai toujours connu Kaboul en équilibre fragile et en attente : entre 1977 et 1979, en attente d'un nouveau coup d'Etat déclenché par l'une des deux factions du parti communiste afghan qui se disputaient le pouvoir ; en 1979, en attente d'une imminente invasion soviétique ; dix ans plus tard, en 1989, en attente du retrait de ces mêmes troupes, vaincues par les moudjahidin soutenus par les Etats-Unis, le Pakistan et l'Arabie saoudite ; en 1992 et 1996, dans l'attente désespérée d'un cessez-le-feu, alors que, ville martyre, elle était prise en otage par les factions rivales qui la détruisaient ; en attente au mois d'octobre 2001 de l'intervention des forces de la coalition pour renverser le régime des Talibans. Aujourd'hui enfin, dans l'attente d'une paix durable après vingt-quatre années de guerre et trente et une années d'instabilité politique.

Kaboul est une ville doutant de son avenir, sceptique sur cette présence étrangère qui a envahi ses rues avec ses automitrailleuses, ses chicanes, barbelés et 4 × 4 remplis de soldats jouant les cow-boys et armés jusqu'aux dents. Les Afghans se méfient depuis toujours de leurs démons qui les poussent à la division, et de toute présence étrangère sur leur sol qui les incite à l'unité. Dans cette ville contrôlée trois ans plus tôt par les Talibans, circulaient les combattants arabes de Bin Laden, haïs par la population pour leur arrogance.

Je ne suis pas sûr du tout que le chef d'Al Qaeda l'ait lue mais il aurait certainement fait sienne la définition des Arabes par Lawrence d'Arabie dans *Les Sept Piliers de la sagesse* : « Peuple aussi instable que l'eau, mais précisément comme l'eau aussi, assuré à terme de la victoire. »

L'Afghanistan est l'épicentre réel et supposé des séismes récents survenus à travers le monde. En 1991, l'empire soviétique disparaît en grande partie à cause de sa défaite militaire dans ce pays. Dix ans plus tard, presque au même moment, le cœur financier de sa grande rivale capitaliste est frappé par un attentat monstrueux et sophistiqué qui aurait été conçu et supervisé à partir de ce pays dépourvu de tout système de communication.

Tout ici échappe à la rationalité que nous voudrions lui conférer. Nous créons des icônes parce qu'elles nous rassurent, même si les faits, têtus, contredisent notre naïveté.

L'Intercontinental – prononcez *intercontinital* à l'afghane – est à l'image de Kaboul : un hôtel qui panse ses plaies, où l'intérieur de chaque chambre a été, non pas redécoré, mais bricolé avec des dizaines de fils qui pendent aux murs pour fournir une électricité souvent coupée. En montant la côte qui conduit à l'établissement, je passe devant un grand portail à la gloire de Massoud. De ma chambre, je distingue en contrebas le quartier Afchar qu'il avait fait raser en 1992 et dont ses troupes, composées en partie d'Arabes, avaient littéralement exterminé les habitants chiites. Je n'ai jamais entendu le chef de l'Alliance du Nord prononcer le mot *démocratie*. Son allié, l'ancien professeur en théologie devenu président de l'Afghanistan de 1992 à 1996, Rabbani, n'avait-il pas déclaré : « Les Talibans sont des représentants du peuple afghan, issus de la société afghane et qui défendent ce pays d'Islam » ?

Pendant l'affrontement Est-Ouest, les cyniques et les naïfs, c'est-à-dire les stratèges politiques et les intellectuels aveugles, ont créé en Occident une nouvelle espèce : « les combattants de la liberté ». C'était le cas en Afghanistan avec Massoud et les moudjahidin, comme en Afrique avec Jonas Savimbi, le chef de l'Unita, qui luttait contre le régime marxiste au pouvoir en Angola. C'était pourtant un tyran sans capitale, un dictateur sans appareil d'Etat.

Je l'avais rencontré pour la dernière fois dans son quartier général de Huambo, en pleine jungle. J'ignorais simplement que la page de la guerre froide avait été tournée et que Savimbi venait d'être lâché par les Etats-Unis et l'Afrique du Sud. J'ai attendu deux jours son retour du pays de l'Apartheid où les dirigeants sud-africains lui avaient signifié son congé. Les nuits, j'étais réveillé par le vrombissement des avions qui survolaient le camp et je pouvais distinguer des hercules américains qui se posaient tous feux éteints sur des pistes de fortune aménagées à proximité. Ils venaient du Zaïre et la CIA livrait à Savimbi ses dernières armes et munitions, un peu comme on empile les boîtes de conserve autour d'un homme abandonné sur une île déserte sans lui laisser l'ouvre-boîte. Quand il m'a reçu, il était ivre de rage et je me souviens de ses six collaborateurs en uniforme qui l'entouraient, apeurés. J'ai appris par la suite qu'il les avait tous fait exécuter.

Le pouvoir, c'est aussi l'abus. Massoud comme Savimbi n'a pas échappé à cette tentation. Musulman extrémiste, chef de guerre impitoyable à l'ambition sans limites, il n'avait gommé ces aspérités qu'après l'arrivée au pouvoir des Talibans en 1996.

L'actuel président, Hamid Karzaï, lui, incarne une autre réalité afghane : l'homme sans légitimité, porté au pouvoir par une puissance étrangère qui prive ce pays de son destin. Pendant plus de dix ans, les Soviétiques avaient tiré les fils, créé et défait les présidents. Après l'intermède taliban, ce fut au tour des Etats-Unis.

Karzaï, prêt dès octobre 1996 à offrir ses services aux Talibans et à devenir leur ambassadeur à l'ONU, est désormais l'instrument des Américains. A quelques centaines de mètres de la présidence, dans son ambassade transformée en véritable camp retranché, avec soldats en armes, installés sur des miradors, l'ambassadeur américain Zalmay Khalilzad veille. Avant de prendre son poste à Kaboul, il fut le conseiller de George W. Bush pour les affaires afghanes et pendant plusieurs années consultant du groupe pétrolier américain Unocal qui négociait avec les Talibans la construction d'un pipe-line transportant le gaz de la mer Caspienne du Turkménistan voisin, en traversant le territoire afghan. Projet abandonné depuis. Un autre consultant d'Unocal travaillait avec lui. Il s'agissait d'Hamid Karzaï. Comme le confiait en boutade un de mes amis pachtoune : « On n'achète jamais un

Afghan mais on le loue. » Jusqu'en juillet 2001, le gouvernement des Etats-Unis considérait le régime taliban
comme une garantie de stabilité en Asie Centrale. Puis
les négociateurs américains avaient buté sur le refus des
« étudiants en religion » d'accepter leurs conditions. On
m'avait rapporté que l'un des responsables de la délégation américaine leur avait alors posément déclaré : « Soit
vous acceptez notre offre d'un tapis d'or, ou nous vous
enterrerons sous un tapis de bombes. »

Karzaï, désormais au pouvoir, mais sans pouvoir, se
comporte habilement, comme les sultans javanais qui
mimaient l'exercice de la fonction. A l'extérieur, il a
imaginé une nouvelle ligne de vêtements afghans : l'Occident s'extasiait sur le pakol, le chapeau porté par Massoud. L'habit sobre du chef de guerre, replié dans ses
montagnes, a laissé place aux caftans, ces tchapans en
lin et fils d'or portés par Karzaï dans les réceptions à
Washington.

Les exigences exorbitantes du mollah Omar

Le 7 octobre 2001, en déclenchant l'offensive militaire
contre l'Afghanistan, George W. Bush affirmait vouloir
capturer Ousama Bin Laden, l'auteur présumé des attentats du 11 septembre. Mais les deux mois d'offensive
militaire visaient plus à renverser le régime des Talibans
qu'à traquer le chef d'Al Qaeda. Pourquoi ? Trois ans
plus tard, la situation paraît curieusement inchangée. Bin
Laden, après sa fuite de Tora Bora, s'est évanoui dans
les contreforts montagneux à la lisière de l'Afghanistan
et du Pakistan. Quant au mollah Omar, le chef suprême
des Talibans, ce « paysan du bas clergé », comme le
décrit un observateur, il a pu s'enfuir à l'arrière d'une
moto grâce à la complaisance inexplicable de Karzaï qui

aujourd'hui négocie secrètement avec lui. Dans un restaurant de grillades à proximité de Chicken Street, un Afghan, qui connaît mieux que quiconque les coulisses du pouvoir, m'a rapporté les exigences exorbitantes du chef taliban, dont la tête est officiellement mise à prix 15 millions de dollars.

1) Pas question de négocier avec des agents des Américains comme toi. Je souhaite discuter directement avec les Etats-Unis.

2) Je veux la reconnaissance du mouvement des Talibans.

3) La levée de tous les obstacles bancaires et une totale liberté d'action envers les organisations et institutions désireuses d'aider notre mouvement.

4) La liberté de circulation pour les Talibans à travers les provinces afghanes et la possibilité pour leurs dirigeants d'obtenir des visas à destination de l'Europe et des Etats-Unis.

J'apprends aussi que la Chine, qui a soutenu du bout des lèvres la guerre contre le terrorisme et qui effectuait une montée en puissance en Asie Centrale, a envoyé une délégation rencontrer les responsables talibans. Pékin renoue discrètement avec sa politique destinée à contrer les Etats-Unis. Au même moment, Washington renvoyait à Kandahar l'ancien ministre des Affaires étrangères taliban, avec la mission quasi impossible de rallier ses anciens compagnons. Dans ce jeu d'intrigue, un grand absent : Ousama Bin Laden.

Bin Laden évaporé des mémoires

En Afghanistan, le chef d'Al Qaeda ressemble à ces dirigeants soviétiques en disgrâce, effacés des textes officiels et des photos. Les Américains soutiennent à la fois

Hamid Karzaï et dans les provinces les seigneurs de la guerre qui lui sont opposés. Mais toutes les parties engagées dans ce complexe jeu d'alliances paraissent avoir oublié jusqu'à l'existence du milliardaire saoudien, malgré les milliers d'hommes que Washington affirme avoir lancés à sa recherche. Obsédant par la menace qu'il incarne en Occident, Al Qaeda s'est évaporé des mémoires afghanes avec la même rapidité que l'eau de pluie absorbée par ces terres desséchées. La volonté d'oublier ? Pas seulement. En parcourant ce pays, j'ai fait une découverte qui réduit à de plus humbles proportions le phénomène de la mondialisation et son corollaire : le village global, l'information planétaire.

Pendant plus de deux mois, d'octobre à décembre 2001, ce pays a été soumis au pilonnage intensif des B 52 pour un événement que bon nombre d'habitants ignoraient totalement. Dans des provinces, pas toujours reculées, l'écho du 11 septembre n'est parvenu que dix, voire quinze jours après. Et ne suscitait guère d'émotion. Comment un paysan afghan pourrait-il imaginer New York, les tours du World Trade Center ?

Bin Laden, pour ces hommes, était une figure tout aussi inconnue. Au mieux, quelques centaines d'habitants, sur les 17 millions que compte ce pays, avaient croisé les longs convois de pick-up et de 4 × 4 aux vitres fumées qui formaient son escorte habituelle. Il était « l'hôte » du régime des Talibans. Ce terme, utilisé par le mollah Omar et les autres dignitaires, ne reflète pas seulement la traditionnelle hospitalité afghane. Il était seulement un « hôte » de marque, utile pour le régime, comme les combattants arabes qui l'avaient rallié. Ses mercenaires zélés s'étaient livrés à une répression féroce dans la région de Kunduz contre les troupes de l'Alliance du Nord, pro-Massoud, et les populations qui les soutenaient.

Omar et Bin Laden partageaient la même exigence d'un retour à la pureté de l'Islam, à travers l'ensemble du monde musulman, mais l'histoire reste intraitable : les révolutions, même devenues islamiques, ne s'exportent pas. Ce fut le cas avec la Russie de Lénine, comme avec l'Iran de Khomeyni. Les chiites d'Irak, pourtant persécutés par Saddam Hussein, en ont administré la preuve. Lorsqu'en 1980 le dictateur se lança dans la guerre contre le régime en place à Téhéran, ils prirent immédiatement les armes contre leurs frères en religion iraniens.

La pensée de Bin Laden s'est construite autour d'une comparaison : l'Etat du monde musulman, aux premiers temps de l'Islam, quand cette religion formait un empire monde, et sa situation d'aujourd'hui avec plus d'un milliard de fidèles, trahis par des régimes corrompus, et un *grand Satan*, l'Amérique, qui les opprime.

J'ai découvert qu'en Afghanistan, territoire où le temps demeure figé parce que ses habitants sont contraints de le dépenser en efforts constants pour vaincre les obstacles géographiques et ses barrières naturelles, Ousama Bin Laden était un prêcheur sans fidèles.

Ce pays vide où les paysages emprisonnent parfois les hommes, n'est pas une terre de mission, et le chef d'Al Qaeda compte ses plus fervents supporters dans trois pays voisins : le Yémen dont sa famille est issue et où les services secrets ainsi qu'une partie de l'armée sont noyautés par l'organisation terroriste. Le Pakistan où, là aussi, l'ISI, les services secrets qui constituent un Etat dans l'Etat, l'ont toujours soutenu ; un pays précieux à ses yeux parce qu'il demeure la seule puissance nucléaire du monde musulman, constamment menacée par l'énorme poids économique et militaire de l'ennemi indien. Et bien sûr l'Arabie saoudite, dont le régime est devenu sa *bête noire*. Le royaume connaît un mécontentement social et une crise économique sans précédent, malgré les 50 milliards de barils de pétrole de réserves... qui pourraient devenir demain une arme imparable envers l'Occident si Bin Laden, ou un régime qu'il inspirerait, arrivait au pouvoir. Sans parler des 750 milliards de dollars, cinq fois le produit national brut du pays, que la famille royale a placés à l'étranger, et pour la plus grande part, aux Etats-Unis.

Mon premier livre, publié en 1974, au lendemain du choc pétrolier, s'intitulait *Le Pétrole à l'heure arabe*. Il était le fruit d'un long entretien à Beyrouth avec Nicolas Sarkis, directeur du Centre arabe d'études pétrolières, et artisan de plusieurs nationalisations. « Ces pétrodollars placés dans les grandes banques américaines et anglaises, m'avait-il dit, source d'angoisse pour l'Occident, sont le signe le plus évident de la fragilité et du sous-développement des pays producteurs, le royaume saoudien en tête, qui ne trouvent pas à investir cet argent dans leurs propres pays. » Je me demande avec le recul si les deux chocs pétroliers de 1973 et 1979 n'ont pas été pour les opinions arabes l'occasion d'une nouvelle prise de conscience : ces pipelines traversaient leur pays mais la manne pétrolière s'y investissait si peu et si mal qu'elle les conduisait à une aveuglante évidence : ils étaient non seulement opprimés mais volés. Le terreau qui allait favoriser la contestation radicale et l'émergence de Bin Laden devenait de plus en plus fertile.

La route de Jalalabad

Recevant dans la montagne afghane, en mars 1997, le journaliste britannique Robert Fisk, Bin Laden lui avait confié : « Je veux faire de l'Amérique l'ombre d'elle-même. » Aujourd'hui, c'est lui qui est devenu une ombre. En me rendant à Jalalabad puis à Tora Bora, j'essaie de comprendre comment à cinq ans d'intervalle les choses ont pu basculer pour le chef d'Al Qaeda.

Quitter Kaboul, c'est d'abord se frayer lentement un chemin au milieu des embouteillages. 30 000 voitures et bus dans la capitale à la chute des Talibans ; plus de 150 000 aujourd'hui. Et dans ce flot, les vieux autocars et camions Volga, de fabrication soviétique, côtoient les Toyota flambant neufs de l'ONU, d'un blanc immaculé, qui valent 35 000 dollars aux Etats-Unis et qui sont achetés 75 000 dollars pièce à un concessionnaire exclusif pour l'Afghanistan : la reine du Danemark. Ainsi va la vie dans un pays libéré et dans une capitale désormais investie par les nombreuses organisations humanitaires occidentales et leurs concurrentes islamistes financées par l'Arabie saoudite.

Nous longeons l'aéroport de Bagram que les Américains ont transformé en un immense camp militaire. En bordure de route, des panneaux vantent les programmes de réhabilitation de l'habitat entrepris par l'ONU. L'organisation internationale fait penser à une vaste caravane itinérante qui se déploie uniquement pour exister. Elle assure avec ses propres avions la seule liaison aérienne entre Kaboul et Kandahar, l'ancien fief des Talibans, et lorsque je suis allé acheter mon billet, 480 dollars aller-retour, j'ai attendu plus d'une heure mon reçu, timbré par cinq services différents. Comme dans une garnison, elle génère aussi des bars à putes, et même sa cantinière qui suit fidèlement ses déplacements ; une Vietnamienne a ouvert à Kaboul son troisième restaurant après ceux qu'elle possède déjà à Phnom Penh et Sarajevo. En 2003, la DDR[1], l'agence de l'ONU chargée du désarmement de 100 000 anciens combattants, a dépensé 18 millions de

---

1. DDR : Démobilisation, désarmement et réinsertion. Numéro du projet : A-032224.

dollars, un budget justifié dans un pays où pullulent les milices et armées privées. Seul problème : cette année-là, pas une seule personne n'a été désarmée à travers le pays et Jean Arnaud, le délégué adjoint de l'ONU, a expliqué aux responsables afghans que 10 millions de dollars étaient engloutis dans les seuls frais de fonctionnement.

Si l'ONU est une présence coûteuse, la guerre que livrent ici les Etats-Unis demeure bon marché : un an de présence militaire en Afghanistan équivaut au budget dépensé en un mois en Irak.

Ahmed, le chauffeur de la Land Rover que j'ai louée, est tadjik, ce qui n'apparaît pas comme la meilleure des idées pour se rendre en plein pays pachtoune, tant les antagonismes entre les deux ethnies restent violents. Il me confiera sur le chemin du retour : « J'ai eu très peur à Jalalabad. Trop d'armes, trop de Talibans. »

Jalalabad est au creux d'une cuvette entourée de montagnes et à l'entrée de la ville se trouve un lac dont les eaux sombres et denses font penser à la mer Morte. A proximité, des vaches paissent dans des marais recouverts de hautes herbes. A quelques kilomètres, nous sommes passés devant les ruines d'un village totalement rasé.

Première halte, l'hôtel Spinghar, un lieu silencieux et vide où tout paraît à l'abandon : le portail d'entrée est rouillé, les jardins ne sont pas entretenus, et le hall désert se compose d'un canapé et de quatre vieux fauteuils tapissés d'un tissu représentant de grosses fleurs aux corolles rouges et aux pétales blancs. Au plafond, un ventilateur en cuivre brasse l'air chaud entre deux lustres en faux cristal, tandis que trois horloges fichées au mur prouvent que le temps ici n'est pas seulement suspendu, mais qu'il constitue un désordre aboli. Elles indiquent l'heure à New York, Kaboul et Londres, mais leurs aiguilles se sont définitivement arrêtées « depuis plusieurs années », confie satisfait l'homme négligé qui se tient à la réception, visiblement peu désireux d'accueillir un client.

Devant l'entrée, une minuscule plaque de marbre à peine visible est posée. Elle porte une date, le 19 novembre 2001, et les noms des quatre journalistes tués ce jour-là : Maria Grazia Cutulli, du *Corriere della Sera* ; Julio Fuente, d'*El Mundo* ; Harry Burton, de Reuters Australie, et Azizullah Haidary, de Reuters Afghanistan. Quatre des huit reporters, photographes et cameramen, morts en couvrant ce conflit.

La mort rôde partout. Quelques minutes plus tard lorsque je parle au téléphone avec Marie, une jeune femme qui a créé une petite ONG dans la vallée du Panshir avant de rejoindre Jalalabad où elle travaille pour une agence de l'ONU. Elle vient d'apprendre bouleversée l'assassinat de trois de ses amis qui effectuaient une opération de recensement à quelques dizaines de kilomètres. Eliminer les étrangers, perturber les élections prévues pour début 2005 demeurent l'objectif des Talibans.

Jalalabad est une ville à l'ambiance pesante. Je remonte Old Silk Road, près de l'ancien marché, le lieu de rassemblement favori des membres des tribus pachtounes qui franchissent la frontière avec le Pakistan pour acheter des mules, troquer des armes, négocier des alliances politiques. Cette artère animée, bordée de petites échoppes, est le dernier endroit où a été vu Ousama Bin Laden, le 11 novembre 2001. Il était arrivé la veille de Kaboul, sur le point de tomber aux mains des forces de l'Alliance du Nord. Il avait prononcé en début d'après-midi un discours devant les chefs de tribus pachtounes réunis au Centre pour les Etudes Islamiques, où je suis maintenant, financé par l'Arabie saoudite. Ces hommes finissaient, m'a-t-on dit, un délicieux repas à base de kebbab d'agneau et de riz, tandis que les bombardements américains sur la ville s'intensifiaient. Le chef d'Al Qaeda est entré vers 15 heures, vêtu de gris et portant une veste de camouflage. Quinze gardes du corps l'entouraient, kalachnikov dans une main, lance-grenade dans l'autre. On pouvait entendre le bruit des bombes américaines qui explosaient aux abords de la ville, tandis que Bin Laden, monté à la tribune sous les acclamations « Zindabad Osama » (« Longue vie Ousama »), déclarait : « Les Etats-Unis poursuivent un plan d'invasion. Sachons rester unis, confions-nous à Allah et nous allons leur donner une leçon comme celle que nous avons donnée aux Russes. Dieu est avec nous et nous gagnerons la guerre. Vos frères arabes montreront la voie. Nous possédons les armes et la technologie. Ce dont nous avons le plus besoin, c'est de votre soutien moral. » Au terme de son discours, prononcé en arabe et traduit au fur et à mesure par l'un de ses collaborateurs, les chefs pachtounes l'acclamèrent. Les hommes d'Al Qaeda passèrent alors entre les rangs pour distribuer à chacun d'eux une enveloppe blanche contenant des liasses de roupies pakistanaises. Certains reçurent l'équivalent de 300 dollars, d'autres de 10 000 dollars, le montant soigneusement calculé en fonction du nombre de familles appartenant à chaque clan.

« Tuer des Arabes ne nous intéresse pas »

Le matin du 11 novembre 2001 à 9 h 30, les rues étaient aux trois quarts désertes en raison de la violence et de la précision accrues des tirs américains. Bin Laden fut aperçu traversant Old Silk Road dans une Toyota Corolla blanche qui faisait partie d'un convoi de quatre véhicules tout-terrain, suivis de six véhicules blindés. Un peu plus loin, il s'arrêta sous un arbre, à proximité d'une mosquée, entouré de soixante gardes armés, visiblement nerveux, pour discuter avec Maulvi Abdul Kadir, le gouverneur taliban. Après une longue accolade entre les deux hommes, le convoi repartit à vive allure et emprunta la direction des montagnes de Tora Bora (le nom signifierait « poussière noire » en pachtoune), situées à 50 kilomètres à l'est de Jalalabad.

Deux jours plus tard, le chaos règne dans la ville. Les Talibans se sont enfuis, Kaboul est tombée et Jalalabad passe aux mains des seigneurs de la guerre choisis par les Américains. Hazrat Ali en a pris le contrôle le 13 novembre. C'est un paysan illettré qui, selon le mot d'un officier de la CIA présent à ses côtés, « peut signer les documents mais heureusement ne sait pas les lire ». L'autre pion avancé se nomme Hadji Zaman Ghamsharik. Ce puissant seigneur coulait un exil paisible à Dijon. Lorsqu'il pénètre dans Jalalabad le 15 novembre, il est salué par une salve de bienvenue de mille coups de fusils. Coupé des réalités afghanes pendant plusieurs années, il ignore que bon nombre de ses hommes, appartenant à la tribu des Khugani, coopèrent étroitement avec les combattants d'Al Qaeda, retranchés désormais à Tora Bora ; 1 600 à 2 000 combattants arabes et tchétchènes, selon les informations recueillies par les services américains de renseignement.

Les hommes de la CIA présents sur le terrain apprennent de la bouche d'un chef de village que Bin Laden y a été vu, chevauchant de nuit entre les abris et s'y réfugiant le jour. D'autres villageois ne confirment pas sa présence mais affirment qu'il a « interdit tout accès à la forteresse quand il s'y trouve, sous peine de mort ». Forteresse ? Le mot est prononcé et contribuera à forger l'incroyable légende et entreprise de désinformation propagée autour de Tora Bora.

Les Afghans qui ont rencontré les Américains présents dans la ville à ce moment-là, se rappellent qu'ils étaient vêtus en civil et se réunissaient parfois au Spinghar Hotel avec les chefs de guerre.

Les responsables de la CIA et des forces spéciales vont concevoir le plus calamiteux des plans de bataille : sous-traiter aux Afghans l'attaque terrestre contre Tora Bora et la confier à Ali et Zaman Ghamsharik, les deux commandants qui se haïssent beaucoup plus qu'ils ne détestent Bin Laden et ses hommes. Pourquoi Donald Rumsfeld se prépare-t-il à faire débarquer 600 marines dans la périphérie de Kandahar, avec pour objectif de couper à Bin Laden une éventuelle retraite vers les montagnes avoisinantes, alors qu'il a déjà été localisé à 500 kilomètres de là ? Les Afghans qui vont être lancés à l'assaut sont mal armés, peu motivés et dépourvus d'équipement pour affronter le froid glacial qui règne en hiver dans cette zone montagneuse.

Haji Zahir et ses hommes ont également participé à l'assaut contre Tora Bora. Ce trentenaire est aujourd'hui l'homme le plus puissant de Jalalabad. Les alliances successives nouées par sa famille pour maintenir son emprise sur cette région résument l'histoire récente de l'Afghanistan. Son oncle, gouverneur de la province, a été nommé par Hamid Karzaï. En 1996, son père, nommé alors par Massoud, occupait le même poste et accueillait à l'aéroport de Jalalabad Ousama Bin Laden dont l'avion arrivait juste du Soudan, après avoir ravitaillé dans l'émirat du Qatar. Le 26 octobre 2001, un second oncle, le commandant Abdul Haq, héros de la guerre contre les Soviétiques, rentré en Afghanistan pour rallier des chefs de tribus, avait été exécuté par les Talibans.

Une filiation prestigieuse qui suscite chez Haji Zahir un étrange mimétisme : sa barbe épaisse soigneusement taillée le fait ressembler à Abdul Haq, l'oncle disparu. Il m'a fixé rendez-vous à 9 heures du matin, et quand j'arrive devant sa résidence, je suis surpris par la hauteur des murs et le nombre de gardes armés qui surveillent l'entrée. La guérite qui abrite certains de ces hommes est surmontée d'une toile bleue à en-tête du Haut-Commissariat pour les Réfugiés.

La porte franchie, je me retrouve sur une pelouse au milieu de laquelle est posée une immense volière. Seul un couple de canaris l'occupe, ou plutôt occupe une cage minuscule accrochée en son centre.

A proximité, un parc de voitures luxueuses : une Mercedes 500 blanche immatriculée 555, plusieurs 4 × 4 Mitsubishi Patrol et Toyota. L'escorte habituelle d'Haji Zahir. Il traverse la ville à l'arrière de sa Mercedes, à tombeau ouvert. Deux voitures avec à bord des hommes armés le précèdent, et deux autres ferment la marche. Le surlendemain j'observerai les visages durs et fermés des habitants au passage du convoi. Le jeune commandant ne semble pas très populaire.

Je suis venu demander à Zahir une escorte pour me rendre à Tora Bora. Il contrôle la région et il est le seul à pouvoir m'en garantir l'accès. Vêtu d'un perahan tonban, l'habit traditionnel, et d'un gilet en lin gris, il a immédiatement et courtoisement accepté ma requête. Pendant qu'il envoie chercher l'escorte qui m'accompagnera, il évoque les lourdes responsabilités qui pèsent sur ses épaules : 4 500 hommes composent ses forces, dont une partie doit être désarmée selon l'accord signé par les chefs de guerre avec le gouvernement de Kaboul. Il pousse un long soupir résigné pour souligner à quel point il s'agit d'une erreur, parle des unités qu'il déploie sur la frontière avec le Pakistan, une « région sensible où trop d'infiltrations ont encore lieu ». Je l'observe, affable, rusé, se présenter en gardien intransigeant de l'intégrité du territoire afghan et je pense plutôt que dans cette zone montagneuse qu'il contrôle ne passent que ceux qui sont en affaire avec lui. Car Haji Zahir n'est pas seulement un chef de guerre, c'est un entrepreneur prospère et avisé dont l'activité, je le découvrirai quelques heures plus tard, est extrêmement diversifiée.

Je l'interroge sur l'offensive terrestre lancée en décembre 2001 contre Tora Bora et à laquelle il a participé. Il égrène les faits chronologiquement sans aucun commentaire : « Le 20 novembre, les Américains ont annoncé à la radio et par des milliers de tracts jetés des avions sur les campagnes afghanes qu'une récompense de 25 millions de dollars serait payée pour la capture de Bin Laden. »

Je repense aux propos du colonel Rick Thomas qui avait coordonné cette offensive terrestre, interrogé au téléphone depuis son bureau du Centcom, à Tampa en Floride, par un journaliste américain : « Nous avons choisi d'utiliser des Afghans qui étaient prêts à collaborer pour reconquérir leur propre pays. Nous avions le même objectif : éliminer Al Qaeda. » Ces propos tirés au cordeau traduisent une méconnaissance profonde de la psychologie afghane et des réalités. Un combattant recruté confiera peu après à l'envoyé spécial du *Christian Science Monitor*, Philip Smucker, résumant l'opinion générale : « Tuer des Arabes ne nous intéresse pas. Ce sont pour nous des frères musulmans. »

Haji Zahir ne me le dira pas, pas plus qu'il n'évoquera les rivalités et les haines entre les trois commandants, dont lui, qui s'accusaient mutuellement de livrer des armes à Bin Laden et ses combattants réfugiés à Tora Bora. Pour un Afghan, la guerre est une chose à la fois trop sérieuse et trop habituelle pour être confiée au seul verdict des armes. Les palabres et les négociations font partie de tout conflit en cours. Alors que les conseillers militaires américains n'y voient que du feu, des émissaires quittent Jalalabad pour rencontrer le chef d'Al Qaeda à Tora Bora. Pour le convaincre de s'enfuir ou en tout cas l'assurer qu'il ne sera pas inquiété quand il quittera son refuge.

Le vieux chef tribal, Younous Khalis, l'a confirmé. En 1980, il était l'allié des Américains. Ronald Reagan l'avait même reçu à la Maison Blanche. Depuis 1996, il soutenait Ousama Bin Laden. « Je savais, m'a-t-il confié amusé, dans sa vaste demeure de Jalalabad, que les Américains ne réussiraient pas à le capturer. »

Haji Zahir, lui, parle des bombardements de B 52 qui pilonnaient les flancs de Tora Bora et des lacunes américaines : « Ils ont commencé à bombarder avant même d'avoir encerclé la zone. » Il a appris le déclenchement de l'offensive terrestre au début du mois de décembre, en regardant CNN, ici même. Quatre heures plus tard, il avait rassemblé 700 combattants mais aucun ne possédait de vêtements d'hiver.

Ses propos contiennent trois niveaux de lecture : ce qu'il dit, ce qu'il suggère et ce qu'il cache. Il suggère une incroyable impréparation du côté américain et passe sous silence qu'au moment même où l'offensive était lancée, Bin Laden avait déjà trouvé refuge de l'autre côté de la frontière, au Pakistan.

Ce sont des forces d'Al Qaeda démoralisées par les bombardements et le départ de leur chef que ses hommes ont affronté. Au moment même où les propos de George W. Bush et son équipe orientent toute l'attention de l'opinion mondiale sur cette bataille désormais sans enjeu. Le 29 novembre, la mine grave, le vice-président Dick Cheney intervient devant les caméras d'ABC News pour affirmer que Bin Laden se trouve bien à Tora

Bora et qu'on ne lui laissera aucune chance d'en réchapper.

Un homme entre dans le salon et chuchote quelques paroles à l'oreille d'Haji Zahir. Il se lève en souriant. « Votre escorte est prête. Certains de ces hommes ont combattu à Tora Bora, interrogez-les. »

La cité de la nuit

Un pick-up bleu Toyota est garé devant l'entrée avec six hommes à l'arrière. Cinq portent une kalachnikov, le sixième une mitrailleuse. La route de Tora Bora commence par une longue allée paisible peuplée d'eucalyptus, puis la piste se resserre peu à peu, traversant des villages étroits, séparés par de larges plateaux déserts balayés d'un vent violent. Le chauffeur roule à vive allure et au bout de deux heures s'immobilise au milieu de nulle part. La pluie tombe en rafales, le paysage est vide hormis un fortin en pisé posé au milieu. On distingue au loin les contreforts de Tora Bora, une imposante masse noire enveloppée de nuages. Le responsable du groupe, assis à mes côtés, vêtu d'un uniforme bleu marine qui a connu des jours meilleurs, parle dans un talkie-walkie. Nous attendons une vingtaine de minutes et soudain surgissent de l'horizon deux voitures emplies d'hommes armés qui se garent à nos côtés. Leur chef est un homme grand et athlétique, aux traits fins. Il me broie la main mais s'exprime d'une voix flûtée. En désignant du bras Tora Bora, il me lance : « Bienvenue dans la cité de la nuit ». Il dirige les forces de Zahir dans cette zone frontalière. Le parcours devient beaucoup plus accidenté. Les véhicules empruntent un raidillon qui longe un précipice, et souvent la roue arrière gauche patine dans le vide. Tout en contrebas, le lit d'une rivière et quelques minuscules villages entourés de verdure constituent un paysage figé pour l'éternité.

Nous mettrons près de deux heures et demie pour effectuer les vingt-cinq kilomètres restant. Abdel Wahid, le responsable à la carrure d'athlète mais à la voix frêle, me déclare que Bin Laden et son escorte empruntaient souvent cette piste, seule voie d'accès. « Beaucoup de villageois l'ont vu passer. Les Arabes semblaient toujours pressés, ils conduisaient encore plus vite que nous. » Je le regarde, étonné. Il acquiesce : « Oui, plus vite, mais ils ont eu des accidents. » J'essaie un instant d'imaginer que la voiture de Bin Laden s'écrasant au fond du précipice aurait changé le cours des événements. Pas de 11 septembre, plus de prétexte pour une guerre en Irak ? Je n'en suis pas totalement convaincu mais l'idée que le mauvais réflexe d'un chauffeur sur une route de montagne afghane puisse infléchir le cours de l'histoire me séduit.

Quand nous arrivons à l'entrée du village, des aigles tournoient juste au-dessus, en rase-mottes. Abdel Wahid est un homme étonnamment cérémonieux. « Je serai honoré de vous inviter à déjeuner dans mon modeste campement. » Son anglais est rustique mais ses manières délicates pour un moudjahid. *La cité de la nuit*, la formule qu'il a utilisée, sonne juste : la masse de Tora Bora se dresse devant nous, piquée de milliers de pins noirs qui poussent sur ses flancs et lui donnent cet aspect sombre qui explique son nom. Juste à côté se trouve une autre montagne, Milawa. Le village se compose d'une vingtaine d'habitations en pisé, entourées de petites cours, et les habitants, silencieux, inexpressifs, nous regardent passer. Durant les bombardements américains, les hommes, affolés, avaient envoyé leurs femmes et leurs enfants dans des villages plus reculés, persuadés qu'il allait être rasé. Le commandant me désigne du doigt une maison construite sur un petit promontoire dominant le village : « La maison du secrétaire de Bin Laden. » En fait, il s'agissait de l'habitation de son adjoint, l'Egyptien Al Zawahiri, le numéro deux d'Al Qaeda.

— Et où était la maison de Bin Laden ?

— Par là...

Il désigne une trouée entre les deux montagnes.

— Je vous emmènerai après le déjeuner.

— C'est loin ?

Il sourit, rassurant :

— Pas du tout, à peine cinq heures de marche.

Le campement est installé sur l'autre berge de la rivière Galiril, en face du village et je fais deux découvertes avant d'y parvenir. D'abord, nous marchons au milieu des champs de pavot ; je connais suffisamment cette plante pour l'avoir croisée à de nombreuses reprises dans mes reportages sur le trafic de drogue dans le Triangle d'Or, spécialement en Birmanie. L'Afghanistan continue de faire la course en tête et reste le premier producteur mondial d'héroïne au monde. Un peu plus loin sur le lit de la rivière, pratiquement à sec, sont entreposés plusieurs dizaines d'énormes troncs de bois de santal. Le prix du santal de qualité doit avoisiner celui de l'héroïne. Stupéfait, les pieds dans l'eau, je repense à ma première rencontre avec Hassan II, le roi du Maroc. C'était en 1993 et il m'avait reçu vers minuit dans son palais de Marrakech. Un parfum agréable flottait à travers les pièces luxueusement meublées et à l'issue de l'interview, je lui avais demandé :

— De quoi s'agit-il ?

— C'est du santal, m'avait répondu, amusé, le monarque absolu. Pivotant sur son fauteuil, il faisait penser à un petit lutin ironique. Le problème, avait-il ajouté, est d'en trouver de qualité. La plupart du temps, c'est du charbon de bois. Par contre, au Cambodge et en Afghanistan, vous obtenez du premier choix. Long silence, il lève les bras, accablé : Mais à quel prix !

La comédie du roi pauvre que m'avait jouée Hassan II se rapprochait de celle que venait de m'interpréter Haji Zahir, homme d'affaires entreprenant. Même s'il n'était pas à l'origine de ces trafics, il les couvrait et en bénéficiait certainement. Il roulait en Mercedes blanche. Son opulence était aussi criante que le dénuement alentour. Je songeai à tout cela, tandis que nous déjeunions, ses hommes et moi, sous une tente humide et sans confort, d'une tomate crue et d'une aile de poulet grillée.

J'allais découvrir au cours de mon enquête à quel point le trafic de drogue avait constitué une arme financière importante pour toutes les parties engagées dans le conflit afghan : la CIA, les services secrets pakistanais, les Talibans et Al Qaeda.

En observant, juste devant moi, Tora Bora, je réalise que la trajectoire d'Ousama Bin Laden a des similitudes avec celle de Hassan Ibn Saba, le fondateur de la secte des Hashashins. Ils ont en commun la même origine familiale aisée, l'intégrisme religieux, le défi lancé aux pouvoirs en place et la volonté d'abattre la plus grande puissance du monde, par le terrorisme et l'assassinat. Et, bien sûr, la drogue et un nid d'aigle.

Le fondateur des Hashashins, surnommé le « vieux de la Montagne », était né en Perse en 1056 dans une riche famille de la ville sainte de Quom. Il devint l'idéologue d'une foi chiite rigoriste et rejetait la domination de l'empire turc seldjoukides. Traqué, il se réfugia à Alamut, un château fortifié à 1 800 mètres d'altitude sur la crête d'un piton rocheux. Là, il forma ses fidèles, des guerriers, qu'il envoya commettre des séries d'assassinats. Le vieux réussira son défi : ébranler durablement l'empire qu'il combattait. Je ne peux pas croire que Bin Laden n'y ait pas songé.

Une légende high-tech

Mes hôtes m'expliquent que deux mille combattants étrangers vivaient ici : ouzbeks, algériens, saoudiens, pakistanais, tchétchènes. Des habitations et des mosquées avaient même été construites sur les flancs de Tora Bora. Pour le chef d'Al Qaeda, au fond de cette région inhospitalière et inaccessible, il s'agissait d'une enclave utopique, d'une Babel islamique ; un refuge et un rêve austères, frustes et radicaux comme les conditions de vie environnantes, transformés par ses adversaires anglosaxons en une légende *high-tech*. Une fascinante entreprise de mise en condition.

La mystification a commencé au début du mois d'octobre 2001 avec l'intervention de Yossef Bodansky, directeur du Centre sur le Terrorisme au Congrès américain, qui s'autoproclame meilleur connaisseur américain de Bin Laden. Que dit-il ? « On connaît 45 grottes et bunkers où Bin Laden et ses amis peuvent se cacher. Ils ont été construits entre 1969 et 1986 par la résistance afghane et les services pakistanais et saoudiens. Les Américains ont même aidé à faire les fondations. Ces grottes et ces bunkers, Bin Laden les a ensuite très bien aménagés, protégés. Il y a entreposé des armes de destruction massive. Ces caches sont des nids d'aigle à très haute altitude. Il y a là des missiles antiaériens, des mitrailleuses... Pour l'en faire sortir, aucune bombe conventionnelle ne sera suffisante. Il faudra y aller avec des hommes, des soldats, des forces spéciales, et ce sera très meurtrier. Il ne sera jamais pris vivant[1]. »

1. *Nouvel Observateur*, 25.10.2001.

La rumeur distillée par des officiels de la Maison Blanche et du Pentagone va rapidement prendre de l'ampleur et s'étoffer. Le 27 novembre, le *New York Times* rapporte le témoignage d'un ancien soldat soviétique ayant servi en Afghanistan à la fin des années 80. Celui-ci affirme avoir vu une imposante cache souterraine avec des portes d'acier, qui contenait une boulangerie, un hôtel rempli d'équipements sophistiqués, dont une machine à ultrasons, une librairie, une mosquée et des stocks d'armes variées. L'article précise que ce camp, ainsi qu'un autre proche, appartient à Bin Laden. Le même jour, le quotidien britannique *The Independent* apporte quelques précisions supplémentaires à cette description d'un univers troglodyte : il s'agit d'un vaste complexe sous une montagne, avec un réseau de tunnels labyrinthiques, protégés par des portes d'acier. Ce lieu possède son propre système de ventilation, grâce à un générateur hydroélectrique, et les tunnels s'enfoncent aussi profondément sous la montagne que les tours du World Trade Center s'élevaient haut (417 et 415 mètres). Ce repaire est conçu pour résister à toute forme d'attaque extérieure, qu'il s'agisse de gaz empoisonné ou d'une arme nucléaire tactique. L'article précise que la forteresse a été construite avec l'aide d'experts saoudiens appartenant au groupe de construction Bin Laden et qu'elle peut abriter 2 000 combattants étrangers.

L'idée que le chef d'Al Qaeda possède un repaire imprenable enflamme l'imagination de la presse américaine. L'article de *The Independent* est repris par l'agence Associated Press et diffusé auprès de centaines de journaux et de chaînes de télévision, dont les trois grands médias américains.

ABC reprend la description, CBS en rajoute en déclarant dans son principal journal télévisé, par la voix de son présentateur vedette Dan Rather : « Le commandement américain pense que Bin Laden est dans une forteresse souterraine connue sous le nom de Tora Bora, une cachette imposante construite par les Américains pour abriter les forces combattant les Soviétiques dans les années 80. Ce complexe surnommé *La ferme de la fourmi Bin Laden* est aménagé à l'intérieur d'une montagne dominant de 3 900 mètres le village de Tora Bora. Imprenable, elle abrite des réseaux de tunnels, des pièces pour stocker les armes et abriter plus d'un millier de combattants. Des systèmes de ventilation s'enfoncent jusqu'à 100 mètres à l'intérieur de la montagne. »

Le 2 décembre, alors que l'attaque terroriste est imminente, ABC reçoit dans son magazine, *Meet the Press*, le secrétaire à la Défense, Donald Rumsfeld. Le journaliste brandit devant les caméras un dessin publié dans le *Times* de Londres le 29 novembre, plan de coupe qui montre l'intérieur de la forteresse de Tora Bora, l'ensemble de ses équipements, et qui paraît sorti de l'imagination d'un scénario de James Bond. Le présentateur détaille les bureaux, les dortoirs, le système de ventilation qui permet d'éviter toute détection à la chaleur, « l'édifice est si profondément enfoui dans la montagne et sous les rochers qu'il est très dur à repérer. Il y a des dépôts d'armes et de munitions et les entrées principales sont, comme vous pouvez le voir, assez larges pour y faire pénétrer des voitures et même des tanks [1]. L'endroit possède aussi un système téléphonique et un système informatique. C'est vraiment très sophistiqué ».

Donald Rumsfeld : « Oh, tu parles [*sic*] ! C'est du travail sérieux. Et ce lieu n'est pas unique, il en existe plusieurs. Et ils ont tous été utilisés très efficacement. J'ajouterai que l'Afghanistan n'est pas le seul pays qui possède des équipements souterrains. »

---

1. Alors qu'il n'existe pas une seule route d'accès.

Exagérer, au-delà de toute vraisemblance, l'importance de l'adversaire et la menace qu'il constitue, demeure une règle de base de la désinformation. En 1990, juste avant le déclenchement de la première guerre du Golfe, le prédécesseur de Rumsfeld, l'actuel vice-président Dick Cheney, avait créé l'effroi en qualifiant les forces irakiennes de « quatrième armée du monde ». Le slogan avait fait le tour de la planète et quand je l'avais interviewé juste avant son départ du Pentagone, je lui avais posé la question : « Ne pensez-vous pas avoir exagéré en déclarant que l'Irak détenait la quatrième armée du monde ? » Cheney possède un visage sévère, des cheveux blonds extrêmement fins et la manie de croiser fréquemment ses mains sur son ventre en vous observant légèrement penché. Un discret sourire avait traversé son visage :

— Je pense en effet que nous avons dû commettre une légère erreur d'évaluation.

Les hommes qui m'entourent dans ce camp de toile misérable ont tous accroché leurs armes aux branches des arbres alentour, comme à des râteliers. Les kalachnikov se balancent au vent, tournant sur elles-mêmes, semblables à des mobiles de Calder. Ils sont une vingtaine, la peau tannée par le climat. J'apprends que seize d'entre eux ont participé à l'offensive contre Tora Bora.

— Ont-ils pénétré à l'intérieur ?

Le commandant est un homme simple. Il a participé à l'assaut, fait office de traducteur, et ne comprend pas du tout le sens de ma question. Il est assis accroupi et me demande de répéter.

— Avez-vous pénétré dans la grande grotte creusée à l'intérieur de la montagne et où se cachait Bin Laden ?

Il me contemple ahuri :

— Nous avons fouillé les grottes que les Arabes d'Al Qaeda avaient creusées à flanc de montagne, vous les verrez tout à l'heure, mais il n'existait pas de grande grotte à l'intérieur.

Je lui raconte les descriptions futuristes publiées dans la presse occidentale et son visage jusqu'ici barré d'un pli soucieux s'illumine soudain. Il rit aux éclats, tout en s'adressant à ses hommes, pris à leur tour d'un rire contagieux. Ils viennent vers moi, hilares, en me lançant de grandes tapes dans le dos, comme pour me féliciter de mon sens de l'humour pour avoir inventé une histoire aussi saugrenue. J'ai égayé leur journée. Ils vont la raconter à leurs proches, leur famille, et c'est au fond un juste retour des choses : la légende de Tora Bora n'était pas parvenue jusqu'à eux, pourtant les premiers concernés. C'est désormais chose faite.

« L'objectif n'a jamais été de capturer Bin Laden »

Le trajet qui conduit à la maison de Bin Laden emprunte le lit d'un cours d'eau à sec qui serpente juste entre les flancs de Tora Bora et de sa montagne jumelle, Milawa. Une gorge sombre et serrée, propice aux embuscades. En quittant le village, j'aperçois sur une hauteur un cimetière de combattants arabes, hérissé de plaques d'ardoise plantées à la verticale et servant de stèles.

La progression est difficile, le terrain accidenté et les hommes qui m'entourent, le doigt sur la gâchette, scrutent les sommets. A un moment, nous croisons deux jeunes qui poussent cinq chèvres et un âne. « Ce sont des membres d'Al Qaeda », plaisante l'un d'entre eux. Il répète sa plaisanterie en pachtoune. Le visage fermé des deux adolescents devient inquiet et ils pressent le pas.

Je comprends très bien pourquoi le chef d'Al Qaeda a choisi cette défense naturelle : un cours d'eau gonflé au printemps par la fonte des neiges et des hommes armés postés aux sommets interdisent toute progression. Cette gorge que nous remontons maintenant depuis plus de quatre heures est une nasse pour toute offensive ennemie. Elle s'élargit enfin, et après une heure de marche supplémentaire, nous parvenons dans un petit vallon. Le spectacle est étonnant. A l'entrée, juste sur le flanc droit, des murets en pierre ont été construits. « Ils servaient, m'explique le commandant, à abriter les combattants de Bin Laden qui protégeaient sa maison située juste en face, sur l'autre versant. »

Je gravis la pente et me retrouve au pied de l'habitation. Le toit a disparu et il ne reste plus que les murs extérieurs ainsi que l'emplacement des pièces. Cette maison en pisé aussi simple que celles du village est toute en longueur et comprenait huit pièces. On reconnaît l'emplacement de la cuisine aux restes du four construit à même le sol. Des combats acharnés ont dû se dérouler à proximité. Juste devant la porte d'entrée, j'aperçois dans l'herbe des dizaines de douilles de balles de mitrailleuse, et non loin un cratère provoqué par l'explosion d'une bombe. Un des hommes brandit fièrement un obus de mortier qui n'a pas explosé. A deux cents mètres, au milieu du vallon, gît la carcasse d'un vieux char russe T 54, à la tourelle détruite.

— Il servait à protéger la maison de Bin Laden.

— Venait-il souvent ici ?

— Les prisonniers que nous avons faits nous ont dit qu'il s'installait ici avec ses femmes et ses enfants, chaque fois qu'il venait. Et qu'il était là au début des bombardements, avant de se réfugier dans les caves.

— Où sont-elles ?

— Venez.

Un raidillon part de l'habitation pour gagner le flanc de la montagne, quelques mètres plus haut. Là, cinq anfractuosités ont été creusées dans la roche, mais aucune n'excède 3 mètres de profondeur et 80 centimètres de haut. Des refuges sommaires, sans le moindre équipement, qui ne pouvaient pas abriter plus de six ou sept hommes serrés les uns contre les autres. Un des membres de l'escorte pousse un cri de joie en pénétrant dans la dernière cavité : une chèvre gît, la nuque brisée. Un repas de choix qu'il charge sur son dos.

— Quand a-t-on vu Bin Laden pour la dernière fois à Tora Bora ?

Long palabre entre le commandant et ses hommes.

— Des Yéménites qui combattaient avec lui l'ont vu arriver avec du thé chaud dans la grotte où ils se protégeaient des bombardements. Il les a encouragés à continuer de combattre. C'était le 26 novembre 2001 [date qui m'a été confirmée]. Puis ils ont appris qu'il était parti quelques jours après.

— Par où ?

Nous redescendons dans la vallée, marchons en direction du tank détruit et là j'aperçois une faille étroite, une trouée entre Tora Bora et Milawa où l'on distingue au loin les sommets enneigés et effilés de la « montagne Blanche » dont l'un des versants se situe en territoire afghan et l'autre du côté pakistanais.

— Il marchait avec quatre hommes. La neige était profonde et ils avançaient lentement.

Quelques jours plus tard, le 1er ou le 2 décembre, les habitants du village d'Upper-Pachir, situé à une dizaine de kilomètres au nord-est, l'ont vu passer. Plusieurs témoins l'ont rapporté. Depuis, plus personne ne l'a jamais revu.

Je suis resté la nuit au campement et le lendemain j'ai continué l'exploration. Mes découvertes étaient toutes identiques : de pitoyables abris à l'odeur d'urine. Les questions se bousculaient dans mon esprit. Les Améri-

cains avaient lancé des combattants afghans à l'assaut
des pentes de Tora Bora, mais n'avaient jamais décidé
d'organiser un véritable siège du repaire de Bin Laden.
La frontière avec le Pakistan, notamment, était restée
ouverte. Pourquoi ? Comme le confiait un expert militaire
à Kaboul : « Les Américains tournoyaient au-dessus de
Tora Bora avec leurs avions et leurs hélicoptères, pendant
qu'à leurs pieds Bin Laden et une partie de ses combattants s'enfuyaient. »

La réponse tient peut-être dans cet aveu formulé le
5 avril 2002 sur CNN par le général Myers, chef d'état-
major de l'armée américaine, en présence de Donald
Rumsfeld et reproduit par l'agence Associated Press :
« L'objectif n'a jamais été de capturer Bin Laden. » Propos qu'il avait ensuite démenti, extrêmement embarrassé.

Et puis il y a l'extraordinaire archaïsme des lieux, des
conditions de vie. Aucune route, pas d'électricité ni de
systèmes de communication, cinq heures de marche qui
séparent les habitations des deux têtes pensantes d'Al
Qaeda. Comment dans un tel environnement une opération aussi sophistiquée que celle du 11 septembre a-t-elle
pu être conçue et coordonnée ? Robert Fisk, le journaliste
du quotidien britannique *The Independent*, rapporte sa
dernière rencontre avec Bin Laden dans la nuit glaciale,
en Afghanistan : « Il s'est emparé des journaux en arabe
qui étaient dans mon sac et s'est précipité dans un coin
de la tente pour les lire pendant vingt minutes, sans tenir
compte ni de ses combattants ni de son hôte occidental.
Bien que saoudien – il avait déjà été déchu de sa nationalité – il ne savait même pas que le ministre iranien
des Affaires étrangères venait de faire une visite officielle
à Riyad. Il n'écoute donc pas la radio ? me suis-je
demandé. Est-ce bien là le parrain du terrorisme international ? Peut-il réellement commander une armée de

terroristes kamikazes depuis les montagnes désolées d'Afghanistan ? Je me suis demandé, en regardant les images de New York, si Bin Laden n'était pas aussi étonné que moi de les voir. A supposer qu'il ait la télévision. »

Les propos du journaliste anglais ne sont qu'une opinion, inspirée par un fragment de réalité entraperçu. Les événements du 11 septembre ressemblent à un miroir désormais brisé, avec morceaux épars. Tout au long de mes recherches, j'ai parfois tâtonné et abouti à des impasses. Mais au fur et à mesure que les éléments finissaient par s'assembler, une réalité contradictoire s'imposait : les réseaux d'Al Qaeda semblaient beaucoup plus impliqués dans les préparatifs et l'exécution des attentats du 11 septembre que leur chef et fondateur, Ousama Bin Laden.

« La plus importante arnaque mondiale »

Le jeudi 19 septembre 2003, le porte-parole du FBI lut un bref communiqué qui ne fut pratiquement pas repris dans les médias américains. Il annonçait la clôture de l'enquête sur les troublantes spéculations financières qui avaient précédé la tragédie du 11 septembre. Selon Ed Cogswell, au terme de deux années de recherches, menées conjointement par le FBI, le ministère de la Justice, et la SEC[1], le gendarme de la Bourse, il n'existait « absolument aucune preuve » que les spéculateurs s'étant livrés à ces transactions aient eu connaissance de la préparation des attentats. La version officielle était simple et lisse : des fonds spéculatifs opérant pour de riches clients aimant les investissement à risque avaient acheté des stocks d'action qu'ils avaient joué à la baisse. Fait curieux, Cogswell dans son interview ne révélait aucun nom : ni les fonds impliqués, ni les clients. Malgré vingt-quatre mois de recherche et des centaines d'enquêteurs mobilisés. Un mensonge discret pour tenter d'effacer la trace d'opérations d'une ampleur sans précédent.

---

1. US Security and Exchange Commission (Commission des opérations de Bourse américaine).

24 novembre 2003, je suis à Londres dans le quartier de la City. Mon interlocuteur, âgé de 38 ans, est le vice-président d'un des établissements les plus réputés du monde financier. Une carrière commencée comme trader, 14 heures par jour, mue par le goût du jeu et l'appât du gain. Des bonus confortables puis des stock-options exorbitants ont fait de cet homme à l'allure mince et soignée et au sang froid constant, une personnalité riche à la réussite enviée. Nous nous connaissons depuis plus de cinq ans et pourtant il a longuement hésité avant de me rencontrer pour évoquer ce sujet : « Je ne veux pas que vous divulgiez mon identité. Un des atouts de mon métier, c'est d'être dépourvu de mémoire. Or le 11 septembre est un souvenir qui gêne et je n'ai rien à gagner à vous en parler. »

Nous sommes installés dans un restaurant élégant à deux pas de son bureau et il sourit longuement quand je lui rappelle les conclusions du FBI.

— Les autorités américaines, pour une raison que j'ignore, couvrent ou dissimulent le plus spectaculaire délit d'initié jamais survenu. Vous ne trouverez personne dans la communauté financière pour croire en la fable officielle. Reprenons les faits un à un :

D'abord le décor : le Chicago Board Options Exchange, créé en 1973, où sont regroupés les stocks de 1 400 grandes compagnies. Un marché où des contrats sont achetés soit en vue d'une spéculation à la vente à un certain moment et à un certain prix, ce sont les *put options*, ou au contraire en spéculant à l'achat, il s'agit des *call options*. Chaque contrat d'option contient en moyenne 100 actions.

Entre le 6 et le 7 septembre 2001, 4 744 options à la vente d'actions de United Airlines sont achetées, contre seulement 396 acquises à l'achat. Le 10 septembre, la veille des attentats, ce sont 4 516 *put options* d'American Airlines qui sont acquises contre 748 à l'achat.

Ces niveaux sont vingt-cinq fois supérieurs à la moyenne des transactions opérées habituellement sur ces deux compagnies, de plus, aucune information ou fusion nouvelle ne justifiait de telles acquisitions.

Mon interlocuteur marque une pause avant d'ajouter :

— Et savez-vous ce qui me paraît le plus incroyable ? Les auteurs de ces opérations ont agi avec un cynisme incroyable en ne cherchant même pas à brouiller les pistes. Aucune autre grande compagnie aérienne américaine n'a fait l'objet d'achats semblables. Je l'ai vérifié. Ils se sont concentrés uniquement sur les deux sociétés dont les avions ont été détournés. Quand le marché américain a rouvert le 17 septembre, l'action d'United avait chuté de 42 %, passant de 30,82 dollars avant le 11 septembre à 17,50 dollars. Bénéfice probable pour les « initiés », près de 5 millions de dollars. L'action d'American Airlines s'est effondrée de 39 %, passant de 29,70 dollars à 18 dollars. Gain supposé : au minimum quatre millions de dollars.

Je lui demande :

— Les services de renseignements pouvaient-ils ne pas avoir eu connaissance de tels mouvements ?

Il me regarde, l'air enjoué, comme si j'avais proféré une excellente plaisanterie.

— C'est vraiment peu probable. Les services secrets surveillent les marchés comme le lait sur le feu, à la recherche de la moindre anomalie. Et croyez-moi, ils ont les moyens de les détecter en temps réel. L'ampleur des achats qui ont dû être effectués par « portage », une technique qui permet de préserver un relatif anonymat, ne pouvait pas passer inaperçue. D'ailleurs, la première analyse sérieuse sur toute cette affaire émane d'un centre de recherche israélien proche du Mossad. Avez-vous lu le rapport de l'Institut de politique internationale d'Herzliya sur le contre-terrorisme ?

Le mardi noir et les marchés

Herzliya. Coïncidence étonnante, mon enquête m'a conduit trois mois auparavant dans cette banlieue résidentielle de Tel-Aviv pour tenter de déchiffrer une autre énigme du 11 septembre que j'évoque dans un chapitre suivant. Mais j'ignorais l'existence de ce centre et ses liens avec le Mossad. L'actuel directeur fut d'ailleurs pendant trois ans à la tête de ce service secret israélien.

Cinq jours plus tard, je lis le rapport intégral que m'a transmis un ami israélien travaillant au ministère de la Défense. Une analyse subtile et dense, techniquement fiable et solidement étayée, qui ne laisse planer aucune ambiguïté sur les liens entre les spéculateurs et ceux qui ont planifié l'écrasement des avions contre les tours du World Trade Center et le Pentagone.

Un passage intitulé « A la recherche de traders douteux » retient particulièrement mon attention. Une transaction, est-il écrit, sera considérée comme suspecte si elle réunit plusieurs critères.

1. Le moment est juste un peu trop bon. Chacun peut faire un investissement à tout moment mais celui qui achète rapidement des options à la vente ou cède un stock juste avant que le prix de ces actions ne connaisse une chute importante pourra être considéré comme plus chanceux que d'ordinaire. Généralement l'initié n'effectue pas de transactions illicites très longtemps à l'avance.

2. La transaction en elle-même est trop spécifique. Par exemple si quelqu'un achète à la vente des stocks d'American Airlines et d'United Airlines mais aucun de Delta Airlines, les enquêteurs seront pratiquement sûrs que le trader était informé à l'avance que ces deux compagnies allaient être les cibles d'une attaque.

3. La transaction est trop importante. Un des indica-

teurs les plus fiables d'une opération de délit d'initié est
lorsque l'auteur a « tradé » à un niveau anormalement
élevé. En d'autres termes, celui qui « trade » habituellement pour un montant de quelques milliers de dollars et
qui soudain joue à des niveaux beaucoup plus élevés agit
ainsi parce qu'il a obtenu des informations à la source.
S'il maintenait ses opérations à leurs niveaux habituels,
il serait rarement repéré. Cependant les gens tombent victimes de leur propre rapacité : quand ils considèrent
comme certain que quelque chose d'important va surve-
nir sur le prix d'un stock, ils ne peuvent résister à la
tentation de profiter de leurs informations pour faire le
maximum d'argent.

4. Les transactions qui s'écartent des niveaux habituels. Sur les marchés des options, il existe normalement
un équilibre raisonnable entre options à la vente et
options à l'achat, sur n'importe quel stock donné ; il
existe également un niveau d'activité propre à chaque
stock particulier. Quand l'équilibre entre *put options* et
call options est grossièrement perturbé et que le niveau
des volumes de transactions excède de loin la normale,
les enquêteurs peuvent être certains que quelque chose se
prépare.

5. La transaction est trop spéculative. Par exemple des
achats importants de stock d'options, considérées comme
peu rentables et approchant de leur date d'expiration mais
devenant soudain profitables en raison de nouvelles
affectant les stocks existants, pourraient être vus comme
le reflet d'un niveau anormal d'intuition.

Cette démonstration ou plutôt cette dissection en cinq
points qui ne laisse aucune place au doute est complétée
par un commentaire intitulé « Le Mardi noir et les marchés ». « Mardi noir » est le terme utilisé par l'ensemble
de la communauté financière pour qualifier le 11 sep-

tembre probablement par analogie avec le « Jeudi noir » de 1929 qui avait vu l'effondrement de Wall Street. Il est écrit : « Un événement d'une portée aussi importante et dramatique que les attaques du « Mardi noir » ont eu sur l'ensemble des marchés mondiaux un effet large et profond comparable à celui d'une pierre lancée dans un étang. »

Les membres composant le « premier cercle » des compagnies durement affectées par les attaques sont évidemment American Airlines et United Airlines dont les avions ont été détournés et utilisés comme des bombes volantes sur New York et Washington. Les actions de ces firmes auraient de toute façon perdu en valeur même si les « piratages aériens » avaient connu une issue pacifique. Ces événements affectent, à moindre niveau, les autres compagnies aériennes, Boeing (le principal fabricant d'avions) ainsi que les sociétés fournissant des équipements et des services à l'industrie du transport aérien.

Le « second cercle » regroupe des compagnies qui auraient traversé relativement indemnes un « détournement d'avion de type classique », mais qui sont sensiblement touchées par une attaque plus violente. Il s'agit des compagnies d'assurances et de réassurances qui doivent prendre en charge les dommages mais aussi les firmes ayant une présence importante à l'intérieur ou à proximité des tours du World Trade Center.

Le « troisième cercle », ce sont les Bourses en général. Bien que l'indice Dow Jones, le premier jour de réouverture après les attentats, ait connu une chute record, en termes absolus, on ne peut parler d'« effondrement du marché ». La situation aurait été probablement bien pire si les attaques avaient été un succès total, notamment si le quatrième appareil s'était écrasé sur la Maison Blanche ou le Capitole.

Cette étude porte comme titre titre général : « Mardi

noir : la plus importante arnaque mondiale de délit d'initié ». Une opération qui me paraît reposer sur la théorie des dominos prévoyant la déstabilisation en cascade des cibles visées.

« Terrorisme par délit d'initié »

Frapper fort et symboliquement. Les bureaux de Morgan Stanley Dean Witter and Co, un des principaux établissement financiers de la planète, occupent 22 étages jusqu'au 110e de la Tour 2 du World Trade Center. Le vol United 175 a percuté le building à peu près à l'emplacement de ces bureaux. Et je découvre en lisant les relevés que 2 157 options à la vente de Morgan Stanley ont été achetées dans les trois jours précédant l'attentat, alors que le volume ordinaire pour ces options se montait à seulement 27 contrats par jour avant le 6 septembre 2001. L'action Morgan Stanley a chuté de 48,90 dollars à 42,50 dollars après le 11 septembre. Les spéculateurs ont empoché au minimum 1,2 million de dollars.

Scénario identique pour un autre géant de la finance, Merrill Lynch and Co, dont le siège est situé à proximité des Twin Towers. 12 215 options à la vente ont été acquises entre le 6 et le 10 septembre. Auparavant, le volume des transactions tournait autour de 252 contrats par jour. Quand le marché a rouvert, l'action a glissé de 46,88 dollars à 41,50 dollars. Gain estimé : au moins 5,5 millions de dollars.

La nervosité est aussi grande au siège allemand de Munich Re, la compagnie mondiale de réassurance et à Zurich où se trouve son rival Swiss Re. Munich Re estime quelques jours après la chute des tours que les demandes d'indemnisation pourraient lui coûter 2,1 milliards d'euros avant impôts, un montant sans précédent, tandis que Swiss Re, le numéro 2 mondial, évalue sa contribution à 2 millions de francs suisses (1 milliard 250 millions de dollars), soit près des deux tiers de ses profits annuels.

Sur la chaîne de télévision ABC News, l'expert Jonathan Viner déclare : « Ces cas de délits d'initié, couvrant le monde entier du Japon aux Etats-Unis et à l'Europe, sont sans précédent dans l'histoire. »

Le 22 septembre, l'agence Associated Press évoque une étude de la banque centrale allemande recensant des cas de « terrorisme par délit d'initié » non seulement dans les domaines des transports aériens et de l'assurance, mais aussi sur les marchés à terme de l'or et du pétrole. Le président de la Bundesbank Ernst Welteke affirme peu après que dans « certaines opérations, il sera possible d'identifier la source ». Depuis cette déclaration péremptoire, M. Welteke n'a jamais fourni le moindre élément nouveau et s'est cantonné dans un silence prudent.

Le 2 octobre 2001 le *Wall Street Journal* révèle que les services secrets ont noté des achats anormalement élevés de bons du Trésor américain à cinq ans, juste avant les attentats. Les transactions auraient porté sur un montant vertigineux : 5 milliards de dollars. Le quotidien financier souligne : « Ces bons du Trésor à cinq ans sont les meilleurs investissements dans l'hypothèse d'une crise mondiale, spécialement si elle frappe les Etats-Unis. Ils sont appréciés pour leur sécurité, le fait qu'ils soient garantis par le gouvernement américain et ils augmentent souvent quand les investisseurs abandonnent brusquement les placements risqués comme les marchés d'actions. La valeur de ces bons, conclut le *Wall Street Journal*, a d'ailleurs augmenté brusquement après les événements du 11 septembre. »

Il faudra seulement neuf jours après le drame du 11 septembre pour renfermer le mauvais génie dans sa bouteille et clore ce dossier embarrassant.

Témoignant le 20 septembre devant la commission bancaire du Sénat, le secrétaire d'Etat au Trésor, Paul O'Neill, affirme péremptoire : « Avant d'arriver à la vraie source [de ces opérations], il faudrait franchir dix sociétés écrans. » Une tâche apparemment insurmontable pour le ministre, les services fédéraux et l'administration Bush ; une attitude dont la désinvolture confine au mépris envers les 2 996 victimes qui symbolisent toute l'horreur des attentats.

Une véritable omerta

Tout est fait pour gommer totalement cet épisode, l'effacer des esprits et des mémoires. Une véritable omerta règne après le 11 septembre. A New York et Washington je constate à chaque démarche que ce dossier est totalement verrouillé. Le ministère de la Justice, le FBI, le ministère des Finances, la SEC refusent de répondre à mes questions ou de divulguer la moindre information. Mes demandes de rendez-vous sont rejetées, un réflexe propre à l'univers financier. Aucun « trader », responsable de banque ou travaillant sur le marché des options, sauf un, n'accepte de me rencontrer. Alors que bon nombre d'entre eux ont été les témoins directs de ces spéculations qui apparaissaient sur leurs écrans. Le trader me confiera dans l'anonymat : « Depuis dix ans que je travaille sur le marché des options, je n'avais jamais vu un nombre aussi élevé d'acquisitions à la vente. » Une réalité confirmée par le célèbre magazine d'information *Sixty Minutes* qui annonce dans son commentaire : « Des sources ont confié à CBS que durant l'après-midi précédant le jour de l'attaque, des signaux d'alerte ont retenti soulignant le niveau anormalement élevé des transactions effectuées sur le marché américain des options. »

— En fait, me dira plus tard le banquier britannique que j'ai rencontré dans la City, personne n'a voulu vous parler parce que les finances sont un monde reposant sur le secret. Il règne en maître partout. Il est la clé de voûte de notre fonctionnement et du succès. Dans les jours précédant les attentats, tous ceux qui travaillaient sur les marchés d'options et qui étaient connectés au Chicago Board, ont su que quelque chose d'anormal se tramait. Mais ils ont réagi avec le cynisme et l'ambivalence propre à ce métier : « Ça ne me regarde pas mais j'aurais bien voulu être sur ce coup, savoir ce que ça cache et combien tout ceci allait rapporter. »

Une question demeurée sans réponse, bien entendu. Entre les estimations et la réalité, la fourchette est large. CBS estime le « butin » de cette spéculation opérée à travers l'ensemble de la planète à 100 millions de dollars. Andreas von Bulow, ancien ministre de la Défense allemand, qui avait la haute main sur les services de renseignements, déclare le 13 janvier 2002 au quotidien *Tagesspiegel* que les profits réalisés pourraient atteindre les 15 milliards de dollars. Des écarts d'évaluation qui révèlent avant tout l'impuissance et l'ignorance, mais également à quel point cette réalité est fantasmée par certains.

Tout paraît soustrait, effacé, lorsqu'une information me parvient, déroutante. Dans les heures précédant les attentats et même après que les avions ont percuté les bâtiments, les ordinateurs installés dans les deux tours ont enregistré un flux de transactions anormalement élevé en taille et en volume. Plus de 100 millions de dollars selon l'évaluation de l'expert Richard Wagner[1].

1. *Reuters Report*, 16.12.2001.

Commencées dans la nuit du 10 au 11, ces opérations se sont intensifiées au petit matin du 11 septembre et se sont poursuivies alors même que les tours en flammes étaient sur le point de s'effondrer. L'objectif des « spéculateurs criminels » – c'est ainsi qu'un expert financier les qualifie – est clair : accomplir un crime parfait, la destruction des tours effaçant les traces des preuves.

Pourtant, au fil des mois, les déblaiements des tours exhument les disques durs d'ordinateurs gravement endommagés par le feu ou l'eau. Plusieurs firmes de cartes de crédit, sociétés financières et de télécommunications décident alors de regrouper leurs efforts et leurs moyens pour tenter de décrypter les indices et les informations contenues sur ces disques, comme avec les boîtes noires analysées pour déterminer les causes des accidents d'avion. Au terme d'un discret appel d'offres, une petite société allemande, Convar, est choisie. Installée dans la petite ville de Pirmasens, proche de la frontière française, elle utilise une technologie révolutionnaire, à base de laser, qui permet de reconstituer les informations contenues sur des disques durs sévèrement détériorés. Convar va traiter les informations stockées dans 32 ordinateurs retrouvés dans les deux tours détruites et facturera chaque ordinateur analysé entre 2 000 et 3 000 dollars.

Peter Henschel, le directeur de Convar, déclarera à l'agence Reuters : « On soupçonnne que l'information sur les attaques a été obtenue par des initiés qui l'ont utilisée pour envoyer des ordres et des autorisations de transactions financières en calculant qu'avec le chaos ambiant, ils conserveraient au moins une bonne longueur d'avance. » Il souligne lui aussi le niveau anormalement élevé de transactions, et ajoute : « On peut toujours supposer que les Américains ont été pris d'une frénésie absolue de shopping le mardi matin 11 septembre. Même en retenant cette hypothèse, bon nombre de transactions restent cependant inexplicables. » En conclusion, Henschel exprime une conviction qui sera vite démentie par les faits : « Je suis sûr qu'un jour on saura ce qui s'est passé avec cet argent. »

« La capacité de frapper les Etats-Unis »

En tout cas, les indices recueillis par Convar sont, jusqu'à aujourd'hui, maintenus sous embargo. Rien n'a filtré et je comprends mieux pourquoi lorsque je découvre que cette compagnie allemande travaille depuis quinze ans déjà pour la police fédérale allemande et l'armée américaine, et qu'elle a accepté de coopérer étroitement avec le FBI qui s'est efforcé de clore au plus vite ce dossier.

Par pure incompétence ? Je n'y crois guère, même si depuis de longues années les dysfonctionnements et maladresses de l'agence fédérale sont régulièrement épinglés par la presse et les autorités. J'entrevois autre chose de beaucoup plus dérangeant : un comportement ambigu vis-à-vis de la menace terroriste émanant d'Al Qaeda, avant et après les attentats. Je repense notamment au cas de John O'Neill, responsable de l'antiterrorisme au bureau du FBI à New York. Le premier à avoir déchiffré réellement les rouages du réseau d'Ousama Bin Laden, considéré à l'époque comme un groupuscule inconnu.

Plutôt sympathique, parfois arrogant, cet homme massif qui dégageait une incroyable énergie tranchait au milieu de cet univers bureaucratique auquel il appartenait. Certains l'enviaient, beaucoup le détestaient. Depuis le premier attentat contre le World Trade Center en 1993, il avait été au cœur de toutes les enquêtes. Il vivait son travail comme un croisé, persuadé de l'ampleur de la menace terroriste. « Ils ont la capacité et l'infrastructure pour frapper les Etats-Unis s'ils le veulent », m'avait-il déclaré. Je le rencontrais à chacun de mes voyages aux Etats-Unis. Malgré son allure de cow-boy emprisonné dans un costume gris, il était paradoxal, surprenant.

L'une de nos conversations avait porté un jour sur l'opacité des univers criminels, la difficulté à pénétrer au cœur de ces organisations, à déchiffrer leur fonctionnement et leurs structures. Il me faisait penser par de nombreux côtés au juge anti-Mafia, Giovanni Falcone, l'un des hommes pour lesquels j'avais le plus d'admiration. Dans son bureau, au palais de justice de Palerme, transformé en camp retranché, ce dernier avait dénoué un à un tous les fils qui permirent de mieux comprendre le fonctionnement interne de la pieuvre et de ses familles. « Vous tentez avec Al Qaeda ce que Falcone a réussi avec la Mafia », avais-je dit un jour à mon interlocuteur. Il avait paru embarrassé. « Notre travail est peut-être similaire mais je ne crois pas que vous puissiez nous comparer. Falcone évoluait dans un environnement hostile et risquait sa vie tous les jours. Pas moi. » J'avais répliqué : « Justement, c'est une question que j'avais évoquée avec lui et à laquelle il avait répondu par une réplique de Shakespeare dans *Jules César* : "Le lâche meurt plusieurs fois par jour mais l'homme courageux ne meurt qu'une fois." »

Pourtant O'Neill était beaucoup plus proche du juge italien qu'il ne le croyait. Falcone, trop embarrassant pour les pouvoirs politiques, avait été exilé à Rome, avant d'être trahi par ceux qu'il gênait, puis assassiné par la Mafia. Il était revenu passer quelques jours à Palerme en compagnie de sa femme. Le plan de vol et l'heure d'arrivée de son avion étaient tenus secrets. Il s'était engouffré dans une voiture blindée qui avait été pulvérisée par une charge explosive placée sur la route. O'Neill, lui, a été entravé dans ses enquêtes dès l'arrivée au pouvoir de l'administration Bush. Les consignes, tranchantes comme un couperet, lui interdisaient d'enquêter désormais sur la famille Bin Laden et l'implication du royaume saoudien dans le financement du terrorisme. Désabusé, victime de cabales internes, O'Neill avait fini par jeter l'éponge et quitter le FBI pour devenir le responsable de la sécurité du World Trade Center.

Il avait pris ses fonctions le 10 septembre et occupait un bureau au 34e étage de la tour Nord. Depuis quelques semaines, une campagne de presse insidieuse s'efforçait de le discréditer. Il avait passé la soirée du 10 en compagnie de deux amis dans plusieurs bars new-yorkais et était rentré chez lui à 2 h 30 du matin. A 8 heures, il arrivait à son bureau. L'homme qui traquait Bin Laden depuis si longtemps, confiait désabusé à ses proches : « Toutes les réponses sur Bin Laden, les réseaux d'Al Qaeda et les moyens de les démanteler se trouvent en Arabie saoudite ». Il est mort dans les attentats.

Des liaisons dangereuses

La précision dans la préparation et le déroulement du 11 septembre se double de la même planification méticuleuse et implacable, pour la récupération de profits financiers. Il faut imaginer un instant le cynisme et le sang-froid de ces hommes. Ils ont passé leurs ordres, les tours se sont écroulées, l'Amérique et le monde sont en état de choc. Ils attendent patiemment la réouverture des marchés le 17 septembre, l'effondrement immédiat des cours, notamment des titres sur lesquels ils ont spéculé, pour rafler leurs bénéfices. Je lis les propos de James Cox, un professeur de droit à la Duke University, qui affirme dans un article : « Ils ne sont pas seulement décidés à détruire le capitalisme, mais aussi à nous battre sur notre propre terrain. Ce sont des gens qui haïssent le capitalisme et qui ont compris qu'ils pouvaient retourner ses méthodes contre ce même capitalisme [1]. » Une analyse qui me fait penser à la phrase de Lénine confiant à des proches, durant la NEP (nouvelle politique économique) : « Le jour où nous voudrons pendre les capitalistes, ils nous vendront eux-mêmes la corde pour le faire. » En réalité, le monde capitaliste a pendant des décennies aidé Moscou comme la corde soutient le pendu. Je me rappelle cette conversation avec Averell Harriman dans son luxueux appartement new-yorkais tapissé de toiles de maîtres. Cet homme grand et mince, à la chevelure blanche était l'héritier de l'Union Pacific, une des principales compagnies de chemins de fer des Etats-Unis. Il m'avait raconté qu'en juin 1944, après plusieurs rencontres au Kremlin avec Joseph Staline, il avait rédigé un rapport destiné à Roosevelt où il déclarait : « Staline reconnaît qu'environ les deux tiers des plus grandes entreprises soviétiques ont été construites avec l'aide des Etats-Unis ou grâce à leur assistance technique. » Trente-cinq ans plus tard, l'envoyé spécial du président américain s'amusait encore de la confidence que lui avait faite le dictateur soviétique : « Il nous faudrait allier la conscience révolutionnaire à l'efficacité de vos capitalistes. »

Des capitalistes, au fond, suffisamment arrogants, amoraux et... aveugles pour croire qu'ils peuvent en toute impunité s'inviter à la table de leurs pires ennemis. N'est-ce pas ce qui est arrivé ensuite avec l'Arabie saoudite et Bin Laden ?

Parmi les nombreuses questions qui me viennent à l'esprit en progressant dans cette enquête, il en est une

1. Bloomberg, *Financial News*, 23.9.2001.

plus entêtante : Ousama Bin Laden et son réseau peuvent-ils être à l'origine des ces spéculations financières ? Leur découverte à la dernière minute risquait de compromettre le déroulement d'attentats préparés, dit-on, dans le plus grand secret depuis au moins deux ans. Il y a là une faille troublante qui s'élargit encore lorsque j'apprends que la CIA surveille en temps réel, 24 heures sur 24, les opérations et les mouvements suspects sur les marchés d'actions et de capitaux. « L'agence utilise des programmes spécialement adaptés dérivés d'un logiciel dont le nom de code est PROMIS », me révèle un ancien analyste de la CIA. « Un véritable thermomètre planté dans les fesses des spéculateurs », ajoute-t-il crûment. Une poussée de fièvre sur ces marchés peut révéler l'imminence d'une opération contre les intérêts américains, y compris une attaque terroriste. La CIA est parfois inefficace mais elle n'est ni sourde ni aveugle. Prétendre qu'elle ignorait tout de ces achats massifs est aussi absurde que de nier les lois de la gravitation universelle. La seule question qui mérite d'être posée est : « Pourquoi ont-ils laissé faire ? »

Une piste est fournie par un article publié le 29 septembre 2001 dans le *San Francisco Chronicle* et repris le 14 octobre par le quotidien britannique *The Independent*. Selon des sources autorisées, 2,5 millions de dollars de profits provenant de spéculations opérées sur les stocks d'United Airlines juste avant le 11 septembre n'ont toujours pas été récupérés. Selon les deux journaux, « une source familière des marchés américains » a identifié Alex Brown, la banque d'investissement américaine, filiale du géant allemand Deutsche Bank, comme l'établissement ayant acheté au moins une partie de ces options. Rohini Pragasam, le porte-parole de la banque, « se refuse à tout commentaire ». Un homme est chargé par l'administration Bush de retracer l'itinéraire et les identités des bénéficiaires. Il s'agit de l'ancien président de la commission sur le terrorisme au département d'Etat. Son nom : Paul Bremer. Il sera nommé peu après proconsul en Irak et le dossier sera enterré.

Tout au long de cette enquête je retrouve fréquemment la trace de la Deutsche Bank. Certains des pirates présumés, dont Mohamed Atta, avaient ouvert des comptes dans cet établissement lorsqu'ils séjournaient à Hambourg. Mais aussi des officiels saoudiens suspects, un ancien chef des services secrets pakistanais sur les comptes duquel se trouvaient plus de 20 millions de dollars provenant du trafic de drogue avec l'Afghanistan. Sans oublier la famille Bin Laden dont les dépôts dans la première banque privée allemande se monteraient selon le magazine *Spiegel* à plus de 314 millions de DM[1].

Alex Brown est le plus vieil établissement bancaire américain, créé il y a plus de deux cents ans à Baltimore. Il a fusionné en 1997 avec Bankers Trust avant d'être racheté par la Deutsche Bank en 1999. Première surprise, le président d'Alex Brown depuis 1991, Mayo A. Shattuck III, pur produit de l'establishment de la côte Est, signe en 1999 un nouveau contrat de trois ans avec la Deutsche Bank qui lui garantit plus de 40 millions de dollars en salaires, primes et stock-options. Une situation pour le moins confortable à laquelle Shattuck met un terme en démissionnant brusquement, quelques jours seulement avant le 11 septembre. Selon l'explication officielle, le président d'Alex Brown souhaite passer plus de temps auprès de sa famille, ce qui est incompatible avec ses voyages qui l'obligeaient notamment à se rendre deux fois par mois en Allemagne.

Interviewés, des proches de Shattuck dressent de lui

---

1. Environ 160 millions d'euros.

un portrait exemplaire. Ils évoquent son parcours universitaire irréprochable, son père mort en 1974, quand Mayo avait 19 ans, et qui fut le trésorier de la prestigieuse université Harvard ainsi qu'une des grandes figures du monde financier de Boston. Ils soulignent également son opiniâtreté et sa force de persuasion qui en firent un redoutable négociateur. Quelques phrases résument la vie lisse d'un homme programmé pour réussir socialement et professionnellement : un personnage qui semble également s'être efforcé d'éviter les aléas de la vie, et qui brusquement se retrouve victime d'une sortie de route. Un de ses anciens collègues chez Bankers Trust me déclare : « Sa démission est inexplicable. Alex Brown était en quelque sorte son enfant. Quand il est entré dans cette banque, elle n'était même plus une beauté endormie, mais plutôt une beauté engloutie. Sa capitalisation atteignait à peine 150 millions de dollars. Il l'a redynamisée, en a fait un établissement agressif et innovant, tout ce que les opérateurs financiers aiment et détestent à la fois. Résultat, en 1997, Alex Brown a été cédée à Bankers Trust au prix fort : 2,5 milliards de dollars et une superbe plus-value à la clé pour Shattuck. » Que s'est-il passé durant ces quelques jours précédant le 11 septembre ?

Je mets bout à bout les éléments dont je dispose : les achats massifs de titres American et United Airlines, dont certains auraient été effectués par Alex Brown. Son président qui démissionne brusquement au même moment. Etrange. Mais le plus surprenant est encore à venir, lorsqu'un journaliste financier rencontré à Washington me déclare : « Vous devriez vous intéresser à Buzzy, il est peut-être l'une des clés que vous recherchez. » Je le questionne : « Qui est Buzzy ? » Il me répond : « Buzzy Krongard. Il est devenu en 1991 directeur général d'Alex Brown au moment même où Shattuck en prenait la présidence. Ils formaient une paire inséparable et l'essor de la banque doit beaucoup à leur coopération. Au terme de la fusion avec Bankers Trust, en septembre 1997, Buzzy – ainsi que tout le monde le surnomme – est devenu vice-président du conseil d'administration de Bankers Trust, mais il a démissionné lui aussi brusquement, quelques mois plus tard.

— Pour aller où ?

Je connais mon interlocuteur depuis plus de quinze ans. Journaliste confirmé il travaillait à l'époque au *Washington Post* où il avait publié plusieurs enquêtes sur les scandales de délits d'initiés qui secouaient Wall Street. Il est un peu plus de 16 heures et nous sommes dans un bar vide de Georgetown. Il marque une brève pause, puis se penche légèrement vers moi.

— A la CIA. Il est désormais le numéro 3 de l'agence avec le titre de directeur exécutif. Depuis le 16 mars 2001. Mais en réalité, il coopère officiellement avec la CIA depuis son départ d'Alex Brown en 1998. Il a abandonné un travail rémunéré 4 millions de dollars par an pour devenir le conseiller du directeur, George Tenet.

« J'ai beaucoup de respect pour Buzzy »

Les relais qui se mettent en place restent opaques mais les questions se font plus précises. La banque qui aurait spéculé juste avant les attentats avait à sa tête, trois ans plus tôt, un homme devenu un des dirigeants de la CIA et qui supervisait justement la détection par l'agence de la moindre anomalie sur les marchés financiers. La CIA n'a rien vu, rien entendu, rien compris, malgré la présence et l'expertise de Krongard, virtuose de la finance, connaissant tous les arcanes, chaque mécanisme et rouage du monde bancaire. C'est d'autant plus déconcertant que Buzzy a été littéralement adoubé par une des figures légendaires de la CIA, Jack Downing, ancien directeur adjoint des opérations, qui a déclaré : « J'ai beaucoup de respect pour Buzzy. J'aurais été heureux de servir au sein de cette agence avec lui comme directeur exécutif. Il connaît le métier et les marchés financiers [1]. » Les informations recueillies sur Krongard permettent d'en brosser un portrait étonnant : ancien capitaine dans le corps des marines, tireur d'élite et expert en arts martiaux, notamment en kung-fu, il a le verbe abondant et coloré. L'opposé de tous les responsables de l'agence qu'il m'a été donné de rencontrer. Des hommes mesurés et discrets, fuyant la lumière, et plus à l'aise dans les replis du monde. Je pense notamment à William Colby, que j'ai bien connu, sourire rare, lunettes à fine monture, qui me déclarait : « Un renseignement si précieux soit-il ne devient une information que si le pouvoir politique a la volonté de l'exploiter. »

Krongard, lui, paraît sorti d'un scénario pour film d'action hollywoodien de série B. Un agent de la CIA, encore stupéfait, raconte sa rencontre avec lui, tirant sur un cigare cubain dans son bureau directorial au 7e étage du quartier général de Langly : « Il m'a demandé de le frapper à l'estomac pour que je constate à quel point il était musclé. » Mais dans une conversation avec un journaliste du *Washington Post*, Krongard livre une confidence autrement plus importante. Evoquant la création de l'OSS (Office of Strategic Services), l'ancêtre de la CIA, au début de la Seconde Guerre mondiale, il explique : « L'OSS dans sa totalité n'était rien d'autre qu'un rassemblement d'avocats et de banquiers de Wall Street. »

Une réalité trop souvent occultée. William Colby, justement, parachuté en France durant la Seconde Guerre

---

1. *Washington Post*, 17.3.2001. Interview avec V. Loeb.

mondiale pour coordonner les activités de renseignement avec la Résistance, m'avait raconté son recrutement par le fondateur de l'OSS, William Wild Donovan, un avocat d'origine irlandaise, véritable personnage de roman. « Je sortais juste de l'université et je l'ai rencontré chez des amis communs. Il m'a immédiatement demandé si je voulais travailler avec lui à bâtir un service de renseignement. L'idée était séduisante mais Donovan mettait un point d'honneur à se comporter en amateur éclairé : il ne recrutait que des gens qu'il connaissait et uniquement dans les milieux qu'il fréquentait : des financiers, des avocats et quelques universitaires. »

Après la guerre, la passerelle restera tendue entre le monde des affaires et celui du renseignement. Allen Dulles, une des recrues de Donovan, ambassadeur en Suisse pendant la durée du conflit, rejoindra ensuite le plus important cabinet d'avocats de Wall Street, Sullivan, Cromwell, avant de prendre la direction de la CIA.

Parcours identique pour William Casey, autre vétéran de l'OSS, avocat et financier à Wall Street avant d'être nommé à la présidence de la SEC (la Commission des Opérations de Bourse), puis de devenir le tout-puissant patron de la CIA sous Ronald Reagan. Casey, un visage de batracien chaussé de grosses lunettes, était obsédé par la menace d'un déclin américain. Dans sa vaste demeure située dans la banlieue de Washington, il possédait une imposante bibliothèque où figuraient tous les ouvrages écrits sur la chute de l'Empire romain. A l'époque, au début des années 80, il revenait d'une longue tournée des « postes » de la CIA sur le continent latino-américain et m'avait expliqué l'ampleur du danger représenté par le régime sandiniste, pro-castriste et communiste, en place au Nicaragua. Ce minuscule pays d'Amérique centrale obsédait Casey mais, entravé par un curieux défaut de prononciation, il ne cessait de l'appeler « Nicahuahua ».

Même trajectoire pour John Deutch, passé de la direction de l'agence, sous Clinton, au conseil d'administration de Citigroup, la deuxième banque du pays. Tout comme Nora Slatkin, ancien directeur exécutif de la CIA – le poste qu'occupe actuellement Krongard. Mais aussi David Doherty, actuel vice-président de la Bourse de New York, chargé de la répression des fraudes et délits d'initiés, après avoir été le conseiller général de l'agence de renseignement.

Beaucoup d'hommes au fond étaient en mesure de discerner ce qui se tramait sur les marchés dans les jours précédant le 11 septembre puis après la réouverture des places boursières. Aucun ne s'est exprimé. Un silence ou une passivité parfois récompensés. La SEC, le gendarme de la Bourse, impitoyable parfois dans sa traque des fraudeurs, fit preuve d'une inertie saisissante tout au long de cette affaire qui relevait pourtant de sa juridiction. En octobre 2001, un communiqué annonçant le départ de Richard Walker, directeur de la sécurité des marchés à la SEC, soulignait qu'il avait « témoigné dans son travail d'une passion et d'un dévouement qui ont inspiré les autres. Sous sa direction, la SEC a adopté une position dure, combattant notamment les fraudes sur Internet. Dick a été un avocat énergique des peines criminelles pour ceux qui violaient les lois. Nous avons apprécié son dévouement pour protéger les investisseurs, notamment les plus âgés. »

M. Walker, « incorruptible », en charge du monstrueux délit d'initié du 11 septembre non élucidé, a quitté ses fonctions pour un poste fructueusement rémunéré de conseiller à la Deutsche Bank, l'établissement qui contrôle Alex Brown.

3

« Où était notre gouvernement ? »

La commission d'enquête « indépendante et biparti-
sane », chargée de faire la lumière sur les événements du
11 septembre 2001, a rendu son rapport final le 24 juillet
2004. En pleine torpeur estivale. Son ton, ses attendus et
ses conclusions sont un modèle de vérité soigneusement
escamotée. Grande fresque sur Al Qaeda, Ousama Bin
Laden et les nombreuses déficiences des services de renseignement, elle a soigneusement écarté toutes les opa-
cités et zones d'ombre qui entourent cette tragédie. Les
six cents pages du rapport ne mentionnent pas une seule
fois les spéculations financières qui ont précédé le
11 septembre, alors que plusieurs des témoins qu'elle a
auditionnés les ont évoquées et réclamé qu'elles soient
éclaircies. Je pense notamment au témoignage émouvant
de Mindy Kleinberg le 23 mars 2003.

« Mon nom est Mindy Kleinberg. Mon mari, Alain
Kleinberg, 39 ans, a péri dans les tours du World Trade
Center le 11 septembre 2001. Je voudrais d'abord
commencer par dire que mes pensées vont vers ces
hommes et ces femmes engagés dans des conflits armés,
à l'étranger, et vers leurs familles qui attendent patiemment leur retour. Cette guerre est livrée sur deux fronts,
au-delà des mers mais aussi sur nos rivages. Nous

sommes tous des soldats dans la lutte contre le terrorisme. Alors que la menace terroriste s'accroît aux Etats-Unis, le besoin d'évoquer les échecs du 11 septembre est devenu plus essentiel que jamais. C'est une part essentielle des "leçons apprises". C'est pourquoi cette commission a une tâche extrêmement importante à accomplir. Je suis ici aujourd'hui, messieurs les membres de la commission, pour vous demander de nous aider à comprendre ce qui s'est passé ; aidez-nous à comprendre où se situe l'échec dans les capacités de défense de notre nation.

[...] Mes enfants et moi-même essayons de vivre avec notre douleur. Nous n'oublierons jamais où nous étions et ce que nous ressentions le 11 septembre. Mais où étaient notre gouvernement, ses agences et nos institutions avant et pendant la matinée du 11 septembre ? »

Mindy Kleinberg évoque ensuite les brèves informations qui ont filtré sur les achats d'options d'American et United Airlines, les profits colossaux réalisés, et conclut : « Pourquoi ces opérations aberrantes n'ont-elles pas été découvertes avant le 11 septembre ? Qui sont les individus responsables ? Ont-ils fait l'objet d'une enquête ? Qui était responsable pour surveiller ces activités ? Ces individus ont-ils été tenus responsables pour leur inaction ? » La détresse et les questions légitimes, posées par Mme Kleinberg et d'autres parents de victimes ont été ignorées par les membres de cette commission.

Thomas Kean et l'Arabie saoudite

J'ai sous les yeux la biographie de son président, Thomas Kean. Une vingtaine de lignes accompagnées d'une photo montrant un homme au visage rond et aux cheveux courts, chemise blanche et cravate sombre. Le profil clas-

sique d'un politicien américain. Le texte indique que
M. Kean fut gouverneur du New Jersey de 1982 à 1990
et qu'il préside depuis la Drew University. Il a également
participé à plusieurs commissions, dirigé la délégation
américaine à la conférence des Nations unies sur la jeunesse en Thaïlande, et fut vice-président de la délégation
américaine présente lors de la conférence mondiale sur
les femmes qui se tint à Pékin.

Le parcours exemplaire d'un homme voué à l'intérêt
général. Mais cette biographie officielle, malheureuse-
ment, a été soigneusement expurgée d'une information
essentielle, à la lumière de laquelle on comprend mieux
pourquoi George W. Bush avait décidé de lui confier la
responsabilité de cette commission, alors qu'il était au
départ extrêmement réticent à sa création. Un article paru
juste après sa nomination déclarait : « C'est parce qu'il
est proche des familles des victimes que Thomas Kean
est le choix de la Maison Blanche. »

Mais sa nomination doit probablement beaucoup plus
au fait qu'il est proche des intérêts pétroliers. En effet, la
notice biographique, officiellement diffusée par la
commission, omet de rappeler que Thomas Kean fut
directeur et actionnaire du géant pétrolier Amerada Hess,
une firme qui se singularisa en créant notamment, en
1998, une société commune avec la firme pétrolière saoudienne Delta Oil, pour exploiter des champs pétrolifères
dans la zone de la mer Caspienne. La nouvelle compagnie, baptisée « Delta Hess », opère en Azerbaïdjan et
détient une participation dans le projet de pipeline devant
aller de Bakou au terminal de Cëyhan en Turquie, en
passant par la Géorgie. « Un air de mystère plane sur
Delta Hess qui est enregistré aux îles Caïmans », écrit la
revue spécialisée *Energy Compass*, le 15 novembre 2002.
« Hess n'est pas pressé de révéler les termes de l'alliance
(avec Delta Oil) qui, dit-on, sont sujets à des clauses
confidentielles. »

« Il n'y a aucune raison pour que cette information soit rendue publique », réplique un porte-parole de Hess.

Delta Oil entretient des liens étroits avec la famille régnante d'Arabie saoudite dont certains membres sont actionnaires. Ce serait le cas du prince héritier Abdallah. Mais les véritables propriétaires du groupe sont deux hommes, cruelle ironie pour M. Kean, poursuivis en justice par les familles des victimes du 11 septembre qui les accusent d'être des « financiers » d'Al Qaeda. Une constitution de quinze plaintes avec une demande de dommages et intérêts se chiffrant au montant impressionnant de mille milliards de dollars [1]. Ces deux personnalités saoudiennes sont Khalid Bin Mahfouz, ancien propriétaire de la plus grande banque saoudienne, considéré comme l'établissement de la famille royale saoudienne, et Mohammed Hussein Al Amoudi, un milliardaire contrôlant un vaste empire ayant des participations dans la banque, la construction, le pétrole et les mines.

J'avais déjà évoqué dans *La Guerre des Bush* les relations de Bin Mahfouz avec l'actuel président américain qu'il avait sauvé de la faillite en 1988, en renflouant Harken, sa compagnie pétrolière en difficulté. Je comprends la profondeur du lien entre MM. Bush, Kean et les responsables saoudiens, mais je ne m'explique toujours pas le silence de la presse américaine sur ce sujet. Hormis un très bref article dans le magazine *Fortune*, le 27 janvier 2003, rien sur ce conflit d'intérêts qui aurait dû conduire Thomas Kean à démissionner de la présidence de la commission. Pourquoi avoir soustrait à l'attention du public des faits qui révèlent que l'homme à la tête de l'organisme chargé d'élucider les causes du plus terrible attentat qui ait jamais endeuillé les Etats-Unis, a eu pour associés deux hommes soupçonnés d'avoir financé l'organisation terroriste qui l'a préparé ?

1. Washington le 16.8.2002. CNN le 15.8.2002.

La plainte déposée par les familles de 900 victimes des attentats et les dommages et intérêts réclamés avaient suscité la colère des responsables saoudiens. Le prince Sultan, ministre de la Défense et frère du roi, figurait également sur la liste des personnes mises en accusation. Les avoirs saoudiens placés aux Etats-Unis se chiffraient à près de 750 milliards de dollars. A partir de février 2002, les dirigeants du royaume et les investisseurs privés effectuèrent des retraits massifs. En août 2002, selon la BBC, plus de 200 milliards de dollars avaient quitté les Etats-Unis, contribuant à affaiblir la devise américaine.

« Nous sommes sûrs à cent pour cent de leur identité »

Les omissions de la commission à la dernière séance à laquelle j'ai assisté, le 17 juin 2004, vont beaucoup plus loin. J'étais naïvement convaincu que cette commission se réunissait dans l'enceinte du congrès, une des salles du Capitole, un lieu solennel et symbolique à la hauteur de la tragédie. Première surprise, les auditions ont lieu au centre de conférence du bureau national sur la sécurité du transport, situé dans le complexe commercial de l'Enfant Plaza au cœur de la capitale. Une série de galeries marchandes et une station de métro, portant le nom de l'architecte français qui conçut les plans de la ville, où je descendais pour rejoindre mon bureau lorsque je travaillais à Washington.

Une foule indifférente, portant des paquets, passe devant le centre de conférence, sans même un regard. La pièce est plutôt petite et l'assistance clairsemée. Les témoins venus faire leur déposition occupent deux rangs, les familles des victimes trois autres rangs. Pour ce dernier jour d'audition, peu de presse, une quarantaine de journalistes environ, quelques photographes et deux caméras de télévision. Les travaux ce jour-là sont dirigés par le vice-président de la commission, le démocrate Lee Hamilton qui fut durant 34 ans un élu de l'Etat de l'Indiana à la Chambre des représentants. Une étrange torpeur domine les débats. Les membres de la commission semblent absents, posent des questions qui ressemblent plus à un catalogue de recommandations absurdes qu'à une quête de la vérité. « Ne pensez-vous pas, demande l'un d'eux à des experts, que le transpondeur (l'appareil dans le cockpit qui permet de localiser la position de l'avion et que les pirates avaient débranché) devrait être placé à un endroit où les pirates ne pourraient pas l'atteindre ? » Le spécialiste répond en se lançant dans une longue explication technique que personne n'écoute tandis que des gens circulent dans les travées.

Militaires et membres de la FAA (l'agence fédérale de l'aviation) se rejettent la responsabilité des retards survenus dans le déclenchement de l'alerte après les détournements. Seul bref moment de tension et d'émotion, les quelques secondes d'enregistrement où l'on entend une voix calme, posée, déclarer dans un anglais curieusement dépourvu de toute pointe d'accent : « Nous avons quelques avions. Soyez calmes et tout ira bien. Nous retournons à l'aéroport. Que personne ne bouge s'il vous plaît. Si vous tentez quoi que ce soit, vous vous mettrez en danger ainsi que l'avion. » Il est 8 h 24 à bord du vol American Airlines 11 qui va s'écraser 22 minutes plus tard sur la tour Nord du World Trade Center à une vitesse de 760 kilomètres/heure. L'avion est rempli de plus de 20 000 gallons de kérosène et la déflagration qui suivra l'impact équivaut à 22 000 kilos de dynamite. Ces propos sont ceux de Mohamed Atta, le chef du commando, s'adressant aux passagers. Selon la version officielle, Atta serait aux commandes du Boeing 767 qui a décollé de Boston. A 8 h 34, alors que l'appareil descend vers sa cible, il s'adresse à nouveau aux passagers : « Que personne ne bouge. Nous retournons à l'aéroport. N'essayez pas de faire des gestes stupides. » Pendant une vingtaine de secondes la tragédie est là, palpable, avec cette voix proférant ces mensonges de façon détachée.

Alors que la séance va toucher à sa fin, je me lève et demande à Lee Hamilton :

— Monsieur le président, est-on sûr aujourd'hui à cent pour cent de l'identité des pirates de l'air ?

Il me regarde en répétant la question, étonné :

— Vous me demandez si nous sommes sûrs de l'identité des pirates ? Oui, nous sommes sûrs à cent pour cent de leur identité.

Je ne connais pas M. Hamilton, je sais seulement qu'il préside désormais le Woodrow Wilson Center, un centre d'études où j'avais été invité en 1985, grâce à Fernand Braudel, pour effectuer des recherches en vue d'un livre. Durant cette période, j'avais vraiment découvert Washington. Une ville en trompe l'œil avec ses rites et ses intrigues, un décor en apparence calme et lisse cachant tant d'entorses à la vérité. « Bienvenu sur plusieurs milliers d'hectares entourés par la réalité », m'avait lancé en boutade Arnaud de Borchgrave, directeur du quotidien conservateur *Washington Times*, financé par le sulfureux révérend Moon et lu par Ronald Reagan et George Bush.

Ce 17 juin 2004, en quittant la salle d'audience, surmontée à l'entrée d'un petit drapeau bleu ressemblant étrangement à celui des Nations unies, je ne savais pas si M. Hamilton m'avait seulement menti ou s'il ignorait lui-même la portée de son affirmation. En tout cas, il venait de formuler une contrevérité d'une gravité inouïe, qui se retrouve dans le rapport final.

Alors que le 11 septembre révèle l'échec et même la

faillite des services de renseignement américains, trois jours après les attentats, le 14 septembre, le FBI publie les noms et les photos des dix-neuf auteurs présumés des quatre détournements d'avion. Une liste très légèrement corrigée le 27 septembre. Seule l'orthographe de quelques noms ou pseudonymes est modifiée. La formulation du FBI est extrêmement prudente : pour chaque pirate elle mentionne la date de naissance « utilisée » et ses lieux de résidence « possibles » aux Etats-Unis et six d'entre eux sont « supposés » être des pilotes.

Première surprise : toutes les déclarations des officiels américains mentionnent l'existence de quinze Saoudiens parmi les dix-neuf pirates de l'air. Une version qui sera même confirmée par le prince Bandar Bin Sultan, l'inamovible ambassadeur d'Arabie saoudite à Washington et fils d'un des frères du roi, qui déclara : « Lorsque George Tenet [le directeur de la CIA] m'a prévenu que quinze des dix-neuf pirates avaient la nationalité saoudienne, c'est comme si les tours s'effondraient une seconde fois, sur ma tête. »

Pourtant, la liste du FBI révèle un certain nombre d'incohérences. Elle donne les noms et les identités des pirates présents dans chacun des avions, mais le décompte indique que huit d'entre eux seulement sont *présumés* être saoudiens.

Autres bizarreries : quatre des six pilotes supposés sont regroupés à bord du même appareil, le vol American Airlines 11 qui s'est écrasé sur la tour Nord du World Trade Center ; le vol United Airlines 175 qui s'est écrasé sur la tour Sud n'aurait, lui, qu'un seul pilote à son bord, tout comme le vol United 93 qui s'écrasera au sud de Pittsburgh. Par contre, aucun pilote n'est mentionné à bord du vol Americain Airlines 77 qui percutera le Pentagone. Sur les dix-neuf noms indiqués, sept d'entre eux seulement possèdent des dates de naissance. C'est le cas des cinq pirates, dont Atta, du vol American 11, d'un pirate du vol 175 et d'un des hommes du vol 93. A l'inverse, huit autres, malgré les photos reproduites, ne possèdent ni nationalité ni date de naissance. Comme les cinq hommes à bord du vol 175 et du vol 93.

La question qui vient immédiatement à l'esprit est : comment peut-on établir une identité sans posséder ni date de naissance ni nationalité ? Toujours selon les indications fournies par le FBI, le vol 77 qui s'écrasa sur le Pentagone, ne possède pas de pilote mais détient la plus forte concentration de Saoudiens présumés. Quatre contre trois sur le vol American 11.

Autres similitudes : deux pilotes présents dans le même avion sont nés le même jour : Mohamed Atta et Wail Al Shehri. Certains pirates portent des noms identiques : on retrouve deux Al Shehri sur le vol 11 et un troisième sur le vol 175 ; deux Al Hazmi sur le vol 77 qui habitaient d'ailleurs à la même adresse sur le territoire américain, comme deux des Al Shehri. Il existe également deux Alghamdi sur le vol 175 et un troisième sur le vol 93.

Le 27 septembre 2001, le FBI diffuse donc une seconde liste des pirates de l'air pratiquement identique. Son contenu ne sera par la suite jamais modifié. Pourtant, entre-temps, un véritable coup de théâtre est survenu que résume Andreas von Bulow, le ministre allemand de la technologie, dans une interview le 13 janvier 2002 au quotidien berlinois *Tagesspiegel* : « 26 services de renseignements aux Etats-Unis disposent d'un budget de 30 milliards de dollars... et pendant soixante minutes décisives, les militaires et les services secrets laissent les avions de chasse immobilisés sur le tarmac. Quarante-huit heures plus tard, cependant, le FBI présente une liste des pirates de l'air. Mais en moins de dix jours il apparaît que sept d'entre eux [dont les noms ont été utilisés par les personnes présumées embarquées dans les avions et désignées par les officiels comme des pirates terroristes] sont toujours vivants. »

Le 20 septembre, le ministre des Affaires étrangères saoudien, le prince Saoud Al Faiçal, confie à la presse arabe, à l'issue d'une rencontre avec le président Bush : « Il est prouvé que cinq des noms inclus dans la liste du FBI n'ont rien à voir avec ce qui est arrivé. » Propos confirmé peu après par un responsable de l'ambassade saoudienne au quotidien de Floride *Orlando Sentinel*.

Cinq kamikazes ressuscités

Le 21 septembre CNN déclare : « Le directeur du FBI, Robert Mueller, a reconnu que certains de ceux qui sont derrière les attaques terroristes de la semaine dernière ont pu voler les pièces d'identité d'autres personnes, et selon un expert en sécurité, cela a pu être relativement facile étant donné leur niveau de sophistication. »

« Les pièces d'identité volées créent des problèmes aux enquêteurs, confirme une porte-parole du FBI, Judy Orihuela, au *Sun-Sentinel*[1]. Il y a réellement un souci. » Le 27 septembre, le jour même où la nouvelle liste des pirates de l'air est publiée, le patron du FBI confirme ses doutes : « Les enquêteurs ont identifié correctement plusieurs des pirates de l'air, nous en avons d'autres pour lesquels il y a toujours une interrogation. » Le mot interrogation est vraiment un euphémisme pour caractériser ce qui apparaît au grand jour. Abdulaziz Al Omari, un des pirates présumés du vol American Airlines 11, se présente le 16 septembre au consulat américain de Djed-

---

1. *Quotidien de Floride*, le 28.9.2001.

dah pour réclamer des explications, stupéfait de se voir accusé d'être l'un des pirates de l'air. L'information diffusée le 17 septembre par le quotidien britannique *The Independent* est reprise le 23 septembre par la BBC, puis par l'AFP. Omari, pilote à Saudi Airlines, aura droit aux excuses officielles de représentants américains à Riyad, en présence de responsables du ministère de l'Intérieur.

Le 23 septembre, un autre Abdulaziz Al Omari se confie au *Daily Telegraph* : « Je ne pouvais pas le croire quand j'ai vu que je figurais sur la liste du FBI. Ils ont donné mon nom et ma date de naissance mais je ne suis pas un kamikaze. Je suis vivant et je n'ai aucune idée sur la manière de faire voler un avion. Je n'ai rien à voir avec tout ceci. » Ingénieur en télécommunication pour la compagnie nationale saoudienne, il explique que son passeport lui a été volé en 1995, à Denver dans le Colorado où il poursuivait ses études à l'université, et qu'il avait prévenu la police de la disparition de ses papiers d'identité.

Le 22 septembre, une dépêche de l'Associated Press révèle qu'un autre terroriste présumé du vol n° 11, Waleed Al Shehri, proteste lui aussi de son innocence. Al Shehri, fils d'un diplomate saoudien, réside à Casablanca au Maroc. Il confirme avoir séjourné aux Etats-Unis, suivi des cours de pilotage à Dayton Beach en Floride mais il a quitté les Etats-Unis en septembre 2000 pour devenir pilote à Saudi Airlines qui l'a transféré au Maroc pour une période de formation avec Royal Air Maroc. Le 23 septembre 2001, le *Daily Telegraph* publie deux nouveaux témoignages. Saeed Alghamdi, présenté comme étant sur le vol United 93, déclare : « J'étais complètement choqué. J'ai passé les deux derniers mois en Tunisie avec vingt-deux autres pilotes à apprendre à voler sur Airbus 320. Le FBI ne fournit aucune preuve de mon implication présumée dans les attentats. Vous ne pouvez

pas imaginer ce que c'est qu'être décrit comme un terroriste et un homme mort, alors que vous êtes innocent et
vivant. » Et il conclut : « Quel est ce service de renseignement [le FBI] qui ne sait pas qu'il existe des milliers
de Saeed Alghamdi à travers l'Arabie saoudite ? C'est
exactement comme si on accusait Tom de New York[1]. »
Alghamdi annonce que sa famille engagera une action
en justice contre le gouvernement américain, pour
diffamation.

Pourtant, le 13 septembre 2003, CNN reprend les
extraits d'une vidéo déjà diffusée sur la chaîne du Qatar,
Al Jazera, et dont l'origine est attribuée à Al Qaeda. On
y voit un homme en costume traditionnel saoudien, présenté comme Alghamdi, lire son testament et déclarer :
« L'Amérique est l'ennemi que chaque musulman doit
combattre. »

De son côté, Ahmed Al Nami, présenté lui aussi
comme un des pirates ayant détourné le vol 93, confie :
« Je suis toujours vivant comme vous pouvez le voir.
J'étais choqué de voir mon nom mentionné par le
ministre américain de la Justice. Je n'ai jamais entendu
parler de la Pennsylvanie où s'est écrasé l'avion que je
suis supposé avoir détourné. » Il précise n'avoir jamais
perdu son passeport et trouve « très inquiétant » que son
identité ait été « volée » puis diffusée par le FBI sans la
moindre vérification. Al Nami vit à Riyad où il travaille
comme superviseur à la Saudi Arabian Airlines.

Le 27 septembre, la chaîne de télévision américaine
CBS annonce avoir retrouvé un cinquième pirate, Salem
Al Hazmi, supposé avoir péri dans le vol 77 qui s'est
écrasé sur le Pentagone. Âgé de 26 ans, il travaille au
complexe pétrochimique de Yanbou, dans l'est de l'Arabie saoudite, et n'a pas quitté son pays depuis deux ans.

---

1. *Daily Telegraph*, le 23.9.2001.

Il se serait fait voler son passeport par un pickpocket, trois ans auparavant, lors d'un voyage au Caire.

Une question reste posée : quelle était la véritable identité des hommes qui ont provoqué le 11 septembre ? Etaient-ils réellement dix-neuf comme continue de le prétendre le FBI et le rapport de la commission d'enquête qui n'ont pas modifié depuis septembre 2001 une seule des identités diffusées ? Où sont les vidéos montrant leur embarquement ?

J'ai longuement examiné les listes des passagers et des équipages présents sur chacun des quatre vols. L'âge, le sexe et leur activité professionnelle et situation de famille y sont mentionnés. La seule chose qui ne correspond pas est tout simplement le nombre de passagers à bord ce jour-là.

Le vol American Airlines 11 qui s'écrase contre la tour Nord transportait, dit-on, 92 passagers et hommes d'équipage. La liste officielle ne mentionne que 76 noms et aucun des cinq pirates n'y figure. Le rapport final de la commission parle de 81 noms et cinq pirates. Sur le vol 77 qui s'écrase contre le Pentagone, on mentionnait 64 victimes. La liste officielle n'en recense que 56 et aucun des cinq terroristes. Le rapport final de la commission indique 58 passagers. Le vol United 175 qui percute la tour Sud du World Trade Center avait, a-t-on dit, à son bord 65 personnes. On ne recense officiellement que 56 victimes et encore une fois aucun des noms des pirates n'est consigné. Selon le rapport final de la commission, le vol transportait 56 passagers dont les terroristes.

Le vol United 93 s'est écrasé en Pennsylvanie avec 45 personnes à bord. La liste officielle n'en mentionne que 33 et pas un seul des 4 pirates qui ont embarqué. Le rapport de la commission reprend le même nombre : 37 personnes dont les 4 terroristes.

Même si l'on s'efforce d'admettre, hypothèse hasardeuse, qu'une certaine confusion a régné dans le pointage des passagers, un tel niveau d'écart est impressionnant. Toute compagnie aérienne connaît évidemment le nombre exact et l'identité des passagers sur chacun de ses vols. Comment autant de personnes, dont 19 Arabes, auraient-elles pu échapper aux procédures d'enregistrement et de contrôle ? Poussons le raisonnement plus loin : je me suis fié à la liste diffusée par CNN et Associated Press pour la comparer avec celle, officielle, qui paraît revue à la baisse. Admettons que ces deux médias se soient trompés ou aient été mal informés et qu'une grande partie des passagers manquants relève d'une erreur d'évaluation ou d'un dysfonctionnement. L'absence sur ces listes des pirates de l'air et de toute identité se rapportant à eux reste toujours aussi inexplicable.

Des pirates entraînés sur des bases militaires américaines ?

Des noms, des identités, des photos qui ne correspondent pas. En contemplant ces visages, j'éprouve une véritable impression de malaise, comme s'il s'agissait d'un jeu de cartes truqué. Les assertions et les faits ne coïncident pas. Un ancien transfuge du KGB, réfugié en Grande-Bretagne, m'avait parlé de « la sauvagerie des miroirs » pour évoquer l'activité des services secrets. « C'est un univers en dédale, avait-il ajouté, où s'abolissent les frontières entre le mensonge et la réalité. »

Je me réfère aux services de renseignement parce que cette liste avec ces 19 noms avancés par le FBI me fait penser à des légendes ; c'est le terme utilisé par les agents pour décrire la manipulation qui consiste à créer *ex nihilo* des personnages et à les affubler d'une identité et d'un passé qui les rendent vraisemblables, crédibles.

Je me suis rendu en Floride, à la base de Pensacola, connue comme le berceau de l'US Navy américain. Je marche sur Bradford Boulevard, une rue située juste à proximité de l'enceinte de la base. Je m'arrête devant le numéro 10, un bâtiment que trois des pirates de l'air ont donné comme adresse sur leurs cartes grises et permis de conduire respectifs. Saeed Alghamdi, Ahmed Al Nami, à l'identité usurpée par deux des pirates de l'air du vol 93, et Ahmed Alghamdi. Saeed Alghamdi fut le premier à fournir cette adresse, en mars 1997... suivi peu après de ses deux complices.

Seul problème, mais de taille, ces dates ne coïncident absolument pas avec la période à laquelle ces hommes sont entrés sur le territoire américain. Ahmed Alghamdi n'arrive que le 2 mai 2001 aux Etats-Unis, à Dulles, l'aéroport international de Washington ; Ahmed Al Nami, lui, franchit la douane le 28 mai à Miami et Saeed Alghamdi le 27 juin à Orlando. Tous ont transité par les Emirats arabes unis.

Bradford Boulevard est une longue rue où sont logés un grand nombre de pilotes militaires étrangers venus suivre des stages à Pensacola.

Le 15 septembre 2001, *Newsweek* a publié une information étrange : « Des sources militaires américaines ont fourni au FBI une information qui suggère que cinq des pirates ayant détourné les avions utilisés pour les attaques terroristes de mardi ont reçu dans les années 90 un entraînement au sein des installations américaines les mieux protégées. »

Je regarde le mur d'enceinte et les barbelés qui ceinturent les installations de la base de Pensacola où, toujours selon *Newsweek*, Saeed Alghamdi a suivi un entraînement de pilote. Le magazine, présentant un officiel de haut rang du Pentagone comme sa source, précise que deux autres pilotes saoudiens ont bénéficié aux Etats-

Unis de conditions semblables. L'un a bénéficié d'un entraînement tactique au Air War College de Montgomery, en Alabama, le second a suivi des cours linguistiques à la base aérienne de Lackland à San Antonio, Texas.

Le même jour, le *New York Times* publie un article apportant encore plus de précisions : « Trois des hommes identifiés comme les pirates de l'air dans les attaques du 11 septembre ont les mêmes noms que les élèves d'écoles militaires américaines, déclarent les autorités. Les trois hommes identifiés sont Mohamed Atta, Abdulaziz Al Omari et Saeed Alghamdi. Selon le ministère de la Défense américain, M. Atta est allé à l'école internationale des officiers à la base de Maxwell Air Force, en Alabama ; M. Al Omari à l'école médicale aérospatiale de la Brooks Air Force Base, au Texas ; M. Alghamdi au Defence Language Institute à Monterrey » (Centre de formation linguistique des services de renseignement militaires et de la NSA). Le quotidien *USA Today* rapporte les propos d'un porte-parole du Pentagone, le colonel Ken Mac Clellan, qui « reconnaît qu'un homme nommé Mohamed Atta a suivi les cours de l'école internationale des officiers à Maxwell Air Force Base, à Montgomery, Alabama ».

Un papier du *Washington Post* mentionne un quatrième suspect, Hamza Alghamdi, présent à bord du vol 175, qui aurait été entraîné à Pensacola. La base forme les étudiants aux techniques de guérilla, aussi bien qu'aux méthodes de survie sur terre et sur l'eau, ou encore à la nagivation aérienne dans les pires conditions météorologiques.

Lorsque j'ai téléphoné au service de relations publiques de Pensacola, du motel situé à proximité, où je m'étais installé, une voix féminine, après un long conciliabule avec son supérieur, m'a répondu d'un ton sans appel : « Nous n'avons aucun commentaire à faire et nous n'accordons aucun rendez-vous pour parler de ce sujet. » J'appelle ensuite le bureau local du FBI, un agent note mon appel et l'objet de ma demande, puis me dit qu'on me rappellera. Jamais mon téléphone n'a sonné.

C'est un dossier apparemment hautement sensible, devenu totalement tabou. Juste après ces révélations, le Pentagone a orchestré une contre-offensive qui s'est développée en deux temps. Tout d'abord un communiqué qui prend la forme d'un démenti ambigu : « Les responsables insistent sur le fait que les noms évoqués *peuvent ne pas nécessairement* signifier que les étudiants étaient les pirates de l'air en raison des différences d'âge découlant d'autres informations personnelles. » La formule « peuvent ne pas nécessairement signifier » en anglais *may not necessarily mean* manque singulièrement de tranchant, de netteté et reflète un réel embarras que le communiqué ne cherche guère à masquer.

Le second communiqué, diffusé par les responsables de l'US Air Force, est lui plus incisif : « Quelques-uns des suspects du FBI ont des noms semblables à ceux utilisés par des étudiants étrangers qui suivent les cours militaires américains. Cependant les différences dans les données biographiques, telles des dates de naissance différentes de vingt ans, indiquent que nous ne parlons probablement pas des mêmes personnes. » Des confidences soigneusement distillées laissent entendre que les pirates de l'air auraient volé les identités de militaires étrangers s'entraînant sur ces bases. Malgré l'acharnement de quelques journalistes, l'Air Force refusera de révéler l'âge, les pays d'origine et toute autre information sur les personnes dont les noms étaient semblables à ceux des pirates de l'air présumés. Une position qui rend impossibles tout recoupement et toute vérification.

Un ancien pilote de la Navy, basé à Pensacola, confie à *Newsweek* : « Nous avons toujours entraîné des pilotes d'autres pays. Quand j'étais là, vingt ans auparavant, il s'agissait des Iraniens. Le Shah était au pouvoir. Le pays du jour est celui dont nous entraînons les pilotes. »

Le royaume saoudien a clairement remplacé l'Iran du Shah comme « pays du jour » et les responsables militaires reconnaissent qu'un accord de longue durée a été signé avec Riyad pour entraîner les pilotes de la garde nationale. Les candidats reçoivent un entraînement au combat aérien et d'autres cours administrés sur plusieurs bases de l'armée et de la Navy. Ce programme est financé par le régime saoudien. Lorsque *Newsweek* et les autres journaux nationaux révélèrent ces faits, le sénateur de Floride, Robert Nelson, envoya une note indignée au ministre de la Justice, John Aschcroft, lui demandant de faire toute la lumière sur cette affaire. La réponse d'Aschcroft, qui représente l'aile la plus extrémiste parmi les conservateurs qui entourent George W. Bush, fut d'interdire la divulgation de toute information sur le sujet et de se refuser à toute réponse définitive. Egalement sollicité par le sénateur Nelson, le FBI livra une réaction encore plus embarrassée, se déclarant incapable de répondre jusqu'à ce qu'il « ait pu trier à travers des éléments compliqués et difficiles », selon les propres termes rapportés par un collaborateur du sénateur, qui conclut : « Nous ne savons donc pas si trois des terroristes se sont entraînés à une époque sur la base de Pensacola. »

Un journaliste eut un bref échange avec une femme major de l'US Air Force connaissant le dossier, qui commença par reprendre les mêmes arguments : « Biographiquement, ce ne sont pas les mêmes personnes, il existe des écarts d'âge de vingt ans. » Le journaliste répondit qu'il n'était intéressé que par le cas de Mohamed Atta. Le major pouvait-il affirmer que l'âge du Mohamed Atta qui avait séjourné à l'école internationale d'officiers de l'Air Force, à Maxwell Air Force Base, était différent de celui du terroriste ?

— Pas exactement, répondit l'officier après une longue hésitation, mais Mohamed est un nom très commun.

Son interlocuteur lui demanda alors s'il pouvait consulter le registre de l'école internationale d'officiers et obtenir ainsi l'adresse de ce second Mohamed Atta pour l'appeler et obtenir la confirmation qu'il existait deux Atta du même âge.

— Je ne pense pas que vous pourrez obtenir cette information, répliqua le major qui clôt l'entretien sèchement par une phrase sibylline : « Je n'ai pas autorité pour vous dire qui suivait les cours de ces écoles. »

Le FBI prétendait avoir mobilisé plus de 7 000 agents pour enquêter sur tous les aspects des attentats du 11 septembre. Visiblement ils n'étaient pas venus jusqu'à Montgomery, au fond de l'Alabama, recueillir plusieurs témoignages qui affirmaient avoir rencontré ou croisé Mohamed Atta. Une femme de pilote déclarait notamment lui avoir été présentée par une amie commune au club des officiers de la base de Maxwell. Certaines de ces assertions étaient peut-être fausses, fantaisistes, mais le bureau fédéral n'a jamais pris la peine de les recueillir ou de les vérifier. Pourquoi ? En tout cas, un fait est certain : la base de Maxwell accueillait un grand nombre de pilotes saoudiens, logés pour la plupart dans les mêmes complexes résidentiels.

Un journaliste du *Pensacola News*, le journal local de cette région de Floride, m'explique : « Les étrangers qui séjournent sur ces bases contribuent largement à l'essor de l'économie locale ; ils rapportent environ 10 millions de dollars par an. Donc, personne n'a envie que cette source se tarisse, c'est la raison pour laquelle les gens refusent de vous parler. Cependant, vous devriez vous intéresser au sénateur Graham. C'est un élu de Floride mais il fut surtout le président de la commission du renseignement au Sénat. Cette affaire de doubles identités l'a beaucoup marqué. »

Le pire mensonge politique

De retour à Washington, j'apprends qu'en effet Graham a réclamé plus d'informations puis une enquête poussée après les révélations publiées dans la presse. Ensuite, plus rien. Graham abandonne inexplicablement ce dossier, comme les journaux d'ailleurs et au premier chef ceux qui avaient contribué à le révéler. Le 11 septembre au fond est une succession d'angles morts : les homonymes des pirates de l'air n'ont pas plus existé que les spéculations financières.

Je dîne un soir à la Maison Blanche, le restaurant situé à deux pas de la résidence présidentielle, avec un officier de haut rang de la DIA (les services secrets militaires).

L'homme assis en face de moi a le regard acéré, les traits creusés : « Avez-vous remarqué, me dit-il, que les services secrets sont parfois conduits à adopter un comportement étrange : ils dissimulent des informations au lieu de les révéler. Pourquoi n'a-t-on pas fait la lumière sur la troublante coïncidence entre les noms des terroristes et ceux qui se sont entraînés dans nos bases ? Je pense que l'explication de ce silence est très simple. Reconnaître que les terroristes auraient été entraînés à Pensacola ou sur d'autres bases militaires américaines révélerait que ces hommes entretenaient des liens avec des gouvernements arabes alliés des Etats-Unis. Je pense que vous voyez celui auquel je fais allusion. Dès lors, finie la vérité officielle d'une opération seulement commanditée depuis les montagnes reculées d'Afghanistan. Les attaques du 11 septembre prennent tout à coup une autre dimension, avec des conséquences politiques et géostratégiques incalculables. C'est une administration de matamores. Pourquoi croyez-vous qu'ils aient très vite délaissé l'Afghanistan pour l'Irak ? Bien sûr, les néo-conservateurs avaient un projet, mais il n'aurait jamais pu se concrétiser sans la volonté de détourner l'attention de l'Afghanistan, mais aussi du 11 septembre. Certains parlent de cette tragédie comme d'un acte fondateur. Moi, je crois plutôt qu'elle a donné lieu au pire mensonge politique que l'Amérique ait jamais connu dans son histoire. C'est aussi le pire crime commis contre la mémoire des victimes et leurs familles. »

Je l'écoute, stupéfait, s'exprimer d'une voix sourde, avec une colère rentrée. Deux sortes d'hommes, aux antipodes, sont souvent tentés par l'univers du renseignement : les véritables tordus et les vrais patriotes. L'homme en face de moi appartient à la seconde espèce. C'est un véritable homme d'honneur que je connais depuis près de vingt ans, dont j'estime la loyauté et la discrétion. Mais ce soir il bout d'une colère contenue et exprime un sentiment désespéré, celui de voir bafouées les valeurs en lesquelles il a toujours cru.

J'ai suivi le conseil du journaliste de *Pensacola News* et visionné l'interview du sénateur Robert Graham dans l'émission « Face the Nation » sur la chaîne CBS. L'entretien a été diffusé le 11 mai 2003. Graham, ancien président de la commission du renseignement, a enquêté avec ses collègues sur le 11 septembre. Soudain je sursaute en entendant ses propos : « Le peuple américain devrait être informé de l'engagement de gouvernements étrangers qui ont facilité les activités d'au moins quelques-uns des terroristes sur le sol des Etats-Unis. Nous espérons que ces éléments seront déclassifiés. Je pense qu'ils constituent une partie importante de nos jugements pour comprendre où sont les dangers les plus importants qui nous menacent et ce que nous devons accomplir pour protéger sur son sol le peuple américain. » En réponse à une question, Graham ajoute : « Beaucoup de ces informations sont classifiées, je pense même surclassifiées par une administration qui est probablement la plus secrète dans son fonctionnement de toute l'histoire des Etats-Unis. Elles deviendront publiques quand elles seront transférées aux archives nationales, c'est-à-dire pas avant vingt ou trente ans. »

Le co-président de la commission, le sénateur républicain Richard Shelby, ajoutera : « Il y a des informations explosives qui n'ont pas été publiquement communiquées. Je pense qu'elles feraient l'effet d'une bombe. »

4

Des services de renseignements déficients

Je ne sais pas si le crime du 11 septembre était prévisible mais en tout cas il était annoncé. Depuis près de deux ans des informations de plus en plus précises et affinées parvenaient aux services secrets américains, ne laissant subsister aucun doute sur l'ampleur et la nature de la menace. Cette passivité demeure, aujourd'hui encore, une énigme.

Londres, quartier Saint-James, le 17 juin 2004.

Pour accéder à ce club, il faut pousser une lourde porte en bois, monter un escalier de sept marches et affronter un employé en livrée qui me foudroie du regard en contemplant le col ouvert de ma chemise. Il me tend trois cravates noires et mon hôte, amusé, me conseille dans un français parfait :

— Prenez celle qui n'est pas tachée, et laissez tous vos papiers au vestiaire.

Deux larges pièces bibliothèques et un fumoir composent une ambiance à la Le Carré. L'homme qui m'a invité est un vétéran du renseignement, anobli par la reine et dont les propos contiennent toujours une distance amusée. Il fut longtemps en poste à Washington mais également à Berlin, le cursus parfait de tout agent secret britannique. Je l'avais rencontré il y a plus de vingt-cinq ans à Addis Abeba alors en pleine guerre civile. Le pouvoir militaire de Mengistu Hailé Mariam, qui avait renversé Hailé Sélassié, se livrait à une répression féroce contre les groupes d'extrême gauche qui le combattaient par les armes et menaient une véritable guérilla urbaine. J'arrivais de Nairobi et, après avoir traversé un aéroport désert, un taxi m'avait conduit jusqu'au Ras Hôtel en slalomant entre les cadavres qui jonchaient les rues. Mon hôte londonien y séjournait et nous avions sympathisé sans que j'imagine un instant sa véritable activité.

Il conduit la conversation en français :

— Blair s'est totalement trompé sur l'Irak en prétendant qu'il existait des armes de destruction massive et c'est d'autant plus regrettable que sur les préparatifs du 11 septembre nous étions, il me semble, remarquablement informés.

Il me rappelle que dès novembre 1999 un rapport secret du MI6, le service britannique chargé de l'espionnage à l'étranger, est transmis au chef d'antenne de la CIA à Londres :

— Depuis 1947, ajoute-t-il, un pacte secret signé entre les gouvernements britannique et américain prévoit une coopération totale en matière de renseignement et le partage des informations. Donc, on peut être sûr qu'il est parvenu presque directement sur le bureau du directeur de la CIA.

Le rapport évoque des « plans d'Al Qaeda » pour utiliser des « avions américains » de « manière inhabituelle », peut-être comme « bombes vivantes ». En juillet 2001, nouveau message du MI6. Il alerte cette fois son homologue américain : « Al Qaeda est dans "la phase finale de préparation" d'une attaque terroriste de grande envergure contre des pays occidentaux ». Le 3 août les services secrets britanniques se font encore plus pressants et plus explicites, annonçant que « les Etats-Unis doivent s'attendre à de nombreux détournements d'avions effectués par des groupes d'Al Qaeda ».

— Selon mes informations, déclare mon interlocuteur, il y a eu débat, ou du moins discussion, à la direction de la CIA sur la gravité de ces informations mais aucune décision concrète n'a été prise. Ils prétendaient que les avertissements répétés qui affluaient à la fin de toutes parts relevaient d'une opération d'intoxication d'Al Qaeda. Vous savez, c'était le syndrome du *Titanic* avant l'accident. Radio coupée, ils voguaient à grande vitesse en direction des icebergs. Pourtant, les indications météo étaient alarmantes.

Seule l'information du 3 août sera reprise par George Tenet (le directeur de la CIA) qui l'intègre dans le mémo reçu par George W. Bush le 6 août dans son ranch de Crawford et qui est intitulé : « Bin Laden déterminé à frapper aux Etats-Unis. »

Le contenu de ce PDB (Presidential Daily Brief), présenté comme chaque matin au président américain par la CIA, va faire l'objet d'une véritable polémique et d'une obstruction présidentielle. George W. Bush refusant de révéler la teneur du mémo de 18 pages, avant de s'incliner. Il commençait par cette phrase : « Des rapports émanant de sources clandestines, de gouvernements étrangers et de la presse, indiquent que depuis 1997 Bin Laden a cherché à mener des attaques terroristes aux Etats-Unis. »

Il existe également, à partir de mai 2001, ces communications interceptées par le réseau de satellites espion « échelon », coiffé et coordonné par la NSA (National Security Agency), un véritable Big Brother qui met sur écoute la planète entière. La plus secrète et la plus puissante des agences de renseignement.

Mon hôte londonien en a une vision cynique et pragmatique.

— Grâce à nous, confie-t-il avec humour, les Américains peuvent même espionner tous nos alliés européens.

Il évoque le centre de Menwith Hill situé dans le Yorkshire, administré par la NSA, une gigantesque oreille placée au cœur du système de communication européen. Des milliers de communications en provenance de Paris, Hambourg, Rome ou encore Varsovie peuvent y être captées et enregistrées simultanément. Les firmes européennes concurrentes, comme Airbus à Toulouse, sont pratiquement mises sur écoute, comme les conversations des responsables politiques européens et des suspects d'Al Qaeda.

Plusieurs informations recueillies en mai 2001 par Echelon sont corroborées par les services secrets allemands qui préviennent leurs homologues américains, mais aussi britanniques et israéliens : des terroristes originaires du Moyen-Orient planifient des détournements d'avion de ligne qu'ils utiliseront comme arme pour frapper des « symboles américains et israéliens ».

« Le grand mariage »

Fin juin 2001, c'est au tour des services secrets égyptiens d'apprendre, par un de leurs agents, travaillant sous couverture en Afghanistan, que « vingt membres d'Al Qaeda ont pénétré aux Etats-Unis et que quatre d'entre eux ont reçu un entraînement de pilotes sur Cessnas ».

L'information est une nouvelle fois transmise à la CIA qui ne réagit toujours pas. Intrigué par ce mutisme, le président égyptien s'entretiendra de cette menace, qu'il prend très au sérieux, avec le vice-président Cheney. Sans plus de succès.

Dans les semaines précédant le sommet du G8, à Gênes, les services secrets occidentaux et russes sont prévenus de la préparation d'attaques terroristes visant la réunion. Les Italiens apprennent même que des terroristes islamistes projettent de jeter un avion sur le site de la conférence.

En août 2001, ce sont les services jordaniens, rompus à une coopération étroite avec la CIA, qui alertent les Américains. Ils ont intercepté un message révélant qu'une attaque de grande ampleur, sur le territoire américain, avec l'utilisation d'avions, est en train d'être planifiée. Ils fournissent même le nom de code de l'opération : « Grand mariage ». A Langley, au siège de la CIA, l'encéphalogramme reste désespérément plat.

Pourtant, même l'ennemi taliban va informer les Etats-Unis de l'imminence de la menace. Le consul américain à Peshawar, la ville pakistanaise située à la frontière avec l'Afghanistan, reçoit la visite d'un émissaire surprenant. L'homme mandaté par le ministre taliban des Affaires étrangères est porteur de précisions inquiétantes : une attaque « énorme contre des cibles situées sur le territoire américain est sur le point d'être lancée ». Le chef de la diplomatie talibane l'a appris de la bouche même du responsable d'un mouvement islamiste ouzbek, allié d'Al Qaeda. L'information est d'autant plus précieuse que le ministre des Affaires étrangères taliban arrêté, puis retourné par les Etats-Unis, qui l'utilisent désormais pour tenter de rallier en Afghanistan ses anciens partisans, travaillait peut-être déjà pour les Etats-Unis. Le consulat américain à Peshawar est connu pour être l'antenne de la CIA dans cette zone hautement sensible.

Alors que débute le mois de septembre 2001, la situation est ubuesque. A travers le monde tous les services secrets ou presque s'attendent à l'imminence d'un attentat sur le sol américain mais personne au sein de l'administration Bush ne semble avoir conscience de la montée des périls. Hormis le responsable de la lutte antiterroriste à la Maison Blanche, Richard Clarke, qui ne cesse d'insister sur la proximité d'une attaque. Mais pour Bush et son équipe, Clarke est un pestiféré. La première décision de Condoleeza Rice, en prenant ses fonctions de chef du conseil national de Sécurité, sera d'ailleurs de le rétrograder. Clarke avait l'oreille de Clinton et était l'ami de John O'Neill, le responsable du FBI qui traquait Bin Laden et avait été écarté pour ses enquêtes trop zélées sur l'Arabie saoudite et la famille du milliardaire saoudien.

Un responsable du Pentagone, qui a rompu avec Rumsfeld à la fin de l'année 2002, m'a confié :

— En plus des nombreux mystères qui entourent cette affaire, il existe une leçon essentielle à en tirer : trop d'arrogance conduit à l'imprévoyance. Depuis 2000, le Pentagone, la CIA, le FBI avaient ciblé tous les objectifs qu'Al Qaeda pouvait envisager de frapper : les ports, les centrales nucléaires mais aussi la Tour de la Liberté.

Je lui rétorque :

— Mais c'est exactement ce que George W. Bush et ses proches collaborateurs s'obstinent à nier, prétendant qu'ils n'ont jamais été alertés sur de tels préparatifs.

Il secoue la tête.

— Désolé, mais c'est *bullshit*.

Le Norad en état d'alerte le 11 septembre

Après avoir refusé pendant quatorze mois, couverte par le président, de témoigner devant la commission d'enquête indépendante sur les attentats du 11 septembre, Condi Rice a fini par accepter de déposer le 8 avril 2004, reprenant l'argument qu'elle avait déjà exposé en mai 2002 : « Je ne pense pas que quelqu'un pouvait prévoir que ces gens s'empareraient d'un avion et percuteraient le World Trade Center, puis avec un autre appareil s'écraseraient sur le Pentagone. » Propos repris presque à

l'identique par George W. Bush, au cours d'une conférence de presse : « Personne dans cette administration, et
pas davantage je pense dans l'administration précédente,
ne pouvait envisager des avions s'écrasant en plein vol,
et en aussi grand nombre, contre des bâtiments. »

Une information divulguée en avril 2004, mais passée
inaperçue, contredit totalement ces affirmations. Diffusée
le 18 avril dans *USA Today*, elle nous apprend que le
Norad[1], depuis 1999, effectuait quatre fois par an des
exercices de simulation grandeur nature, mobilisant des
appareils civils et militaires. Le scénario envisageait toujours des avions détournés par des terroristes et transformés en bombes volantes pour provoquer le maximum
de dommages humains et matériels. Parmi les cibles rete-
nues lors de ces exercices, il y avait... le Pentagone mais
les responsables du ministère de la Défense trouvaient
l'hypothèse trop irréaliste... et les tours du World Trade
Center. Selon les responsables du Norad, ces simulations
avaient pur but de « tester la détection et l'identification ;
l'interception ; les procédures de détournement ; la coordination interne et externe ainsi que la sécurité opérationnelle et celle des procédures de communication ». Bref,
tout ce qui n'a pas fonctionné le 11 septembre.

Dans un communiqué laconique, la Maison Blanche fit
savoir qu'« elle n'était pas au courant » des exercices du
Norad.

Me racontant la crise des missiles à Cuba en 1962,
Robert Mac Namara, ministre de la Défense de Kennedy,
rapportait qu'au plus fort de la tension, au petit matin, il
était remonté des sous-sols de la Maison Blanche, où se
tenaient les réunions, et qu'il était sorti à l'air libre :
« L'atmosphère me semblait pure et un jour radieux se

---

1. North American Aerospace Defence Command, créé en 1958.

préparait. J'ai pensé, peut-être est-ce le dernier que nous allons vivre. »

Toute proportion gardée, le 11 septembre incarne lui aussi un dernier jour. Le monde cette fois n'était pas menacé d'un holocauste nucléaire, mais il a brusquement basculé dans la peur, puis dans le doute. C'est en tout cas le sentiment que j'éprouve, plongé dans cette enquête. Ce doute s'exprime autant envers les menaces supposées qu'à l'encontre des vérités officielles.

Le 17 juin, alors que j'assistais à cette ultime séance publique de la commission d'enquête, dans un centre commercial de Washington, j'avais posé une seconde question au co-président Lee Hamilton :

— Est-il vrai qu'au moment même où survenaient les attentats plusieurs manœuvres militaires aériennes (*war games*) étaient en cours ?

Il tend l'oreille, fait répéter la question, puis se tourne vers ses collaborateurs, échange avec eux quelques mots, avant de répondre :

— Oui, c'est exact, plusieurs manœuvres aériennes avaient lieu.

— Ont-elles interféré avec les attentats ?

La réponse fuse cette fois, catégorique :

— Non, absolument pas.

Pourquoi alors avoir dissimulé que le 11 septembre, depuis 6 heures du matin, le Norad est en état d'alerte maximum ? Plusieurs de ses chasseurs d'interception sont déjà en vol. Depuis sa création en 1958, le North American Airspace Command est chargé de contrôler et défendre l'espace aérien américain. Conçu pour combattre une invasion soviétique, le Norad disposait durant la guerre froide de milliers de chasseurs maintenus en état d'alerte maximum et capables de décoller vers leurs cibles en moins de cinq minutes. Ses moyens ont fondu depuis la chute de l'URSS. Le 11 septembre au matin, le Norad dispose de quatorze appareils capables de décoller en 15 minutes pour couvrir l'immensité du territoire américain. Pourtant elle entame, le deuxième jour de l'opération « gardien vigilant », un ensemble de manœuvres destinées à tester les réactions face à une attaque aérienne étrangère.

A 8 h 40, le lieutenant colonel Deskin, présent dans le centre d'opération du Norad, surveille les trois rangées d'écrans radar losqu'un technicien lui signale que le centre de Boston vient d'annoncer un détournement d'avion. « Est-ce que ça fait partie de l'exercice ? », interroge-t-il. Le vol American Airline 11 a décollé 41 minutes plus tôt de l'aéroport de Boston à destination de Los Angeles. Depuis 20 minutes, transpondeur débranché, il ne répond plus à la tour de contrôle.

A 8 h 43, les responsables du Norad sont informés que le vol United 175 a été à son tour détourné et qu'il se dirige vers New York.

A 8 h 46, le vol American Airlines 11 s'écrase contre la tour Nord au moment même où deux chasseurs F15 se préparent à décoller de la base d'Otis, à Cape Cod dans le Massachusetts, à 188 miles de New York.

Première question : la plus grande puissance militaire de la planète disposait de plusieurs dizaines de bases aériennes, à proximité immédiate de New York et Washington, dont certaines très performantes comme Andrews, située à 15 kilomètres de la capitale fédérale. Pourquoi dès lors choisir de faire décoller les avions chargés de l'interception d'une base aussi éloignée ? Quand deux chasseurs F16 décolleront enfin de la base de Langley, à côté de Washington, à 9 h 30, avec pour mission de protéger le Capitole, il s'est écoulé plus d'une heure depuis le détournement du vol American Airlines 11 et huit minutes plus tard, à 9 h 38, le vol 77 percute le Pentagone.

Seconde question : pourquoi les chasseurs ayant décollé de la base d'Otis volaient-ils à si faible allure ? Selon les propos du major général Paul Weaver, confirmés ensuite par des experts, « les pilotes des F15 volaient à 500 miles à l'heure mais n'ont pu rattraper l'avion ». Il est étrange que des jets capables d'atteindre près de 2 000 km/heure aient volé quasiment à la même vitesse que le Boeing pourchassé. Lorsque le vol United 175 s'écrase contre la tour Sud, ses deux poursuivants sont à seulement 8 minutes. A vitesse supersonique, ils auraient été en mesure de l'intercepter et des milliers de morts auraient pu être évités. De la même façon, pourquoi rien n'a-t-il été tenté pour intercepter le vol 77, qui s'est écrasé sur le Pentagone, quand les responsables ont découvert qu'il avait été détourné 47 minutes plus tôt ? Les deux chasseurs F15 auraient eu là aussi largement le temps, à près de Mach 2, de le neutraliser.

Beaucoup de réponses viennent à l'esprit pour expliquer la lenteur des réactions... et des appareils envoyés à la poursuite des avions détournés : désarroi, lourdeur des prises de décision et surtout hésitation des responsables politiques. C'est à 10 h 15 seulement, au cours d'un échange téléphonique, que Bush autorise son vice-président à donner l'ordre aux pilotes d'abattre tout appareil hostile.

Toujours est-il que l'impuissance d'un dispositif militaire, placé ce jour-là en état d'alerte maximum et spécialement formé depuis deux ans à neutraliser le scénario terroriste qui venait de surgir sur les écrans radars, est pour le moins inquiétante. D'autant qu'entre septembre 2000 et juin 2001, les appareils militaires avaient décollé à 67 reprises pour intecepter des avions suspects.

Le virtuel et la réalité

Les manœuvres du Norad, « gardien vigilant », ne constituaient pas le seul exercice d'alerte prévu ce jour-là. A 8 h 10, alors que décollait de Dulles, l'aéroport international de Washington, le vol 77 d'American Airlines qui allait s'écraser sur le Pentagone, juste à proximité, John Fulton et son équipe réglaient les derniers détails de l'exercice qui devait être déclenché cinquante minutes plus tard.

Il ne s'agissait pas d'une banale simulation d'incendie se déroulant dans les locaux d'une compagnie d'assurances. John Fulton, vétéran du renseignement, membre de la CIA depuis vingt-cinq ans, dirigeait la division War Games (scénarios d'exercices militaires) au NRO[1], la plus secrète des agences d'espionnage américaines.

Installé à Chantilly, une banlieue de Washington, le National Reconnaissance Office fabrique et contrôle tous les satellites espions américains placés sur orbite à travers le monde. Les experts définissent le NRO comme « les yeux de l'Amérique surveillant la planète ». Pas un pouce de territoire à travers la planète n'est censé échapper à sa vigilance. Ce 11 septembre au matin, ses 3 000 employés, répartis dans quatre bâtiments, se préparaient à fuir leur lieu de travail. Plusieurs portes de sortie avaient été condamnées pour rendre encore plus réaliste le scénario élaboré : un avion s'écrasant sur le quartier général du NRO.

Quelques mois plus tard, au cours d'une réunion sur la sécurité intérieure qui se déroulait à Chicago, John Fulton fut présenté en ces termes : « Le matin du 11 septembre, M. Fulton et son groupe dirigeaient un exercice de pré-

---

1. National Reconnaissance Office, créé en 1960.

simulation destiné à explorer les réponses aux situations d'urgence créées par un avion frappant un bâtiment. Ils ne pouvaient pas savoir que ce scénario allait devenir la réalité ce jour-là et d'une manière aussi dramatique. »

La simulation fut annulée peu avant 9 heures, après l'annonce des détournements et la plus grande partie du personnel fut renvoyée dans ses foyers, à l'exception de ceux, selon le porte-parole du NRO, « accomplissant des missions essentielles ». Officiellement. D'autres sources extrêmement bien informées affirment que cet exercice devait être coordonné de la Maison Blanche, directement par le vice-président Cheney, ce qui explique sa présence inhabituelle ce matin-là dans la Situation Room. Le virtuel et la réalité s'étaient brusquement télescopés.

A un point qu'on n'imagine pas encore. Pour élaborer leurs scénarios de crise, le Pentagone fait appel à un certain nombre d'experts. L'un d'eux, Charles Burlingame, âgé de 52 ans, était un ancien pilote de la Navy, surnommé *Chic* par sa famille et ses amis. Il prétendait que la manœuvre la plus délicate pour un pilote était l'appontage sur un porte-avions par une nuit sombre. Après huit années aux commandes d'un F4, il avait pris sa retraite mais continuait de coopérer avec le ministère de la Défense sur un certain nombre de « stratégies antiterroristes ». Il avait notamment longuement travaillé sur l'hypothèse d'un avion de ligne détourné et frappant le Pentagone. La première étude sur le sujet remontait à 1993 et avait été commandée par le bureau des opérations spéciales et des conflits à basse intensité du Pentagone. Burlingame avait déjà été consulté.

Il n'était pas seulement un expert. Depuis 1989 il travaillait comme commandant de bord pour la compagnie American Airlines. Le 11 septembre au matin, il était aux commandes d'un Boeing 767. L'appareil, le vol 77, fut détourné à 9 h 24 par les pirates de l'air avant de s'écraser à 9 h 38... sur le Pentagone.

Sa famille exigea qu'il soit enterré au cimetière d'Arlington, où reposent John Kennedy et les soldats morts au combat ou dans des conditions héroïques. Dans un premier temps, l'administration militaire rejeta la requête mais les pressions et interventions de ses proches furent telles que l'affaire remonta jusqu'à Donald Rumsfeld, puis George W. Bush, qui finirent par s'incliner.

Je n'ai d'abord pas cru à ces deux affaires totalement simultanées qui paraissent relever d'une histoire à la Tom Clancy, puis j'en ai vérifié, recoupé chaque point. Tout est authentique. Burlingame, auteur d'un scénario semblable à celui élaboré par le NRO, dont l'avion détourné justement sur la cible retenue a fait la démonstration macabre de la véracité d'un tel danger.

La NSA ou « never say anything »[1]

Pour mieux comprendre le fonctionnement du NRO, il faut d'abord s'intéresser à la NSA, sa sœur aînée. La National Security Agency est la plus délirante création de l'espionnage moderne. Près de 10 milliards de dollars de budget annuel permettent à plusieurs dizaines de milliers de personnes de décoder des messages secrets mais aussi d'intercepter toute circulation de nouvelles, qu'elles soient diplomatiques ou militaires, qu'elles aient trait aux affaires ou relèvent de la vie privée, transmis par téléphone, e-mail, radio, satellite, câble, micro-onde. Chaque nouveau type de trafic génère un nouveau type de communication et la NSA s'est adaptée à ces nouveaux défis. Des ordinateurs géants ont été spécialement créés

---

1. Traduction : « Ne jamais rien dire. »

et programmés pour détecter les phrases, les noms, les mots-clés et plus de deux millions de conversations, aux Etats-Unis et de par le monde, sont enregistrées chaque heure par la NSA.

C'est au terme de la seconde présidence Truman, le 4 novembre 1952, qu'avait été créée la National Security Agency. A la différence de la CIA, il n'existait pas de commission du Congrès ni même de lois visant à contrôler les agissements de la NSA. En fait, il n'existait même aucune loi officialisant sa création. Il n'existait que des textes destinés à la protéger. L'agence était née d'une décision secrète de la Présidence, la directive numéro 6 du Conseil national de sécurité qui reste encore aujourd'hui classée top secret. En 1975, la commission pour les affaires d'espionnage de la Chambre des représentants, désireuse de prendre connaissance des termes exacts de ce texte, dut s'incliner, malgré des demandes réitérées, devant le refus de la Maison Blanche. « Mais enfin c'est incroyable, explosa son président, Otis Pike, on nous demande de voter des budgets chaque fois plus considérables pour un organisme qui emploie de plus en plus de monde et nous ne pouvons même pas obtenir copie du morceau qui prouve que cette agence a été autorisée. »

Le budget réel de l'agence est source d'interrogations, car ses dépenses sont réparties entre plusieurs départements ministériels et de nombreux organismes écrans. Officiellement, le budget de fonctionnement entre 1995 et 1999 se chiffrait à 17 milliards 570 millions et 600 000 dollars. Pour l'année 2000-2001, il serait d'environ 7 milliards 304 millions de dollars. Elle emploie à son siège 38 000 personnes, soit plus que le FBI et la CIA réunis, auxquels s'ajoutent 25 000 spécialistes répartis à travers le monde dans les stations d'écoute. Les 37 000 personnes qui travaillent au quartier général de Fort Meade dans le Maryland, surnommé Crypto City, sont des mathématiciens et experts en décodage, ingénieurs en informatique, spécialistes du radar, de l'électronique, des communications, linguistes spécialement entraînés à l'école de Monterrey en Californie (une subdivision de la NSA où l'un des pirates de l'air du 11 septembre aurait peut-être suivi un stage).

Tout agent de la NSA employé à Fort Meade a satisfait à la « procédure d'enquête » la plus rigoureuse de toutes celles appliquées aux divers secteurs névralgiques relevant de la Défense. Sa naissance, son éducation, ses études, ses voisins, amis et anciens camarades de travail ont été contrôlés, évalués au cours de plusieurs enquêtes n'ayant qu'un objectif : découvrir la faille qui fera de ce collaborateur un traître en puissance. Pour les membres de la National Security Agency, l'impératif de sécurité doit devenir plus qu'une habitude, plus qu'une seconde nature : un véritable instinct. NSA, confient des membres de l'agence, signifie en réalité *Never say anything* (« Ne jamais rien dire »).

J'avais découvert la NSA en 1984, après avoir lu dans le *New York Times* un article au vitriol de l'éditorialiste Harrison Salisbury qui venait d'apprendre qu'il était écouté par l'agence. Cet homme sec, à la moustache blanche, m'avait reçu à son domicile, encombré de livres et de papiers : « Pendant près de quarante ans, m'avait-il déclaré, indigné, j'ai passé une bonne partie de mon temps dans les pays communistes, et notamment en Union soviétique. Durant toute cette période, j'ai vécu en permanence sous une surveillance hostile. Je comprenais immédiatement que ma chambre d'hôtel était truffée de micros, mon téléphone placé sur écoute, mes communications enregistrées. Régulièrement, je m'offrais le plaisir de lire les propos des officiels communistes sur la différence existant entre leur système et le nôtre. Nous n'avons pas de censure, pensais-je avec orgueil, et nous disposons d'une totale liberté de communication : personne ne nous écoute quand nous parlons au téléphone ; notre courrier n'est pas ouvert ; le gouvernement n'espionne pas nos télégrammes ni nos télex. Voilà, me disais-je naïvement, ce qui fait la différence entre une vraie démocratie et un Etat totalitaire. C'était avant que je ne découvre l'existence de la NSA. Des initiales qui pour une écrasante majorité n'évoquent probablement rien. Si je demande à mes voisins quelle est la plus grande agence de renseignement du pays, ils citeront la CIA ou le FBI. Et ils auront tort. »

Vingt ans plus tard, Salisbury ne reconnaîtrait pas la NSA, véritable Frankenstein dont le cerveau et les muscles n'ont cessé de se développer de façon impressionnante. J'avais été autorisé, en 1990, à pénétrer dans l'enceinte de l'agence, pour un reportage. Appareils photo et cameras étaient évidemment proscrits et la zone où j'étais autorisé à circuler limitée. Mais j'avais été frappé par la dimension des lieux : quinze hectares sur lesquels, au milieu d'une forêt de pins, étaient disséminés une vingtaine de bâtiments. Beaucoup plus imposant que le siège de la CIA installé à Langley, en Virginie, celui de la NSA offrait l'aspect d'une citadelle de verre et d'acier gardée avec un luxe de précautions inouïes : patrouilles de gardes armés, triple rangée de barbelés électriques haute de quatre mètres, systèmes de détection électroniques à l'entrée de chaque bâtiment, déplacements internes soigneusement contrôlés, le personnel ne pouvant circuler que muni de badges de couleurs différentes. Un dispositif qui dégageait, à mesure que je le découvrais, une impression obsessionnelle et paranoïaque de sécurité ! C'était un samedi après-midi d'hiver, l'activité à l'extérieur semblait ralentie, comme engourdie par le froid.

Je n'avais pas été autorisé à pénétrer dans l'immense bâtiment installé au cœur de Fort Meade, non loin du bureau du quartier général. Mais je savais qu'il s'agissait du centre d'opération informatique le plus important et le plus perfectionné du monde. Comme le cerveau humain, il était divisé en deux parties : un hémisphère droit baptisé Carillon, et un hémisphère gauche portant le nom de code de Loadstone.

Carillon possédait quatre énormes ordinateurs IBM 3 033 reliés ensemble et communiquant avec trois super imprimantes tapant 22 000 lignes à la minute. Loadstone, encore plus puissant, disposait de super computers de cinq tonnes, capables d'effectuer de 150 à 200 millions de calculs par seconde. Equipé d'une mémoire spécialement conçue pour les travaux de la NSA, ces ordinateurs Cray, du nom de leur inventeur, Seymour Cray, étaient capables de « transférer » près de 400 millions de mots à la seconde, soit l'équivalent de plus de 2 500 livres de 300 pages.

Mais j'évoque la préhistoire. Le lieu que j'avais pu visiter est devenu aujourd'hui presque méconnaissable. Entre 1982 et 1996, le coût de nouvelles constructions s'est monté à plus d'un demi-milliard de dollars. Fort Meade s'est encore agrandi et regroupe désormais cinquante bâtiments. Une croissance qui épouse le développement des prouesses techniques. L'accroissement de la vitesse, de la puissance et de la capacité de mémorisation des ordinateurs a toujours été l'objectif prioritaire. Je me rappelle que lors de ma visite, j'avais eu entre les mains un bref texte de présentation qui déclarait, avec un humour empreint de fausse modestie : l'agence a certainement contribué à hâter l'avancement de l'ère de l'ordinateur.

Le centre du « complexe militaro-informatique »

La NSA se plaît désormais à faire étalage de ses prouesses auprès de ses collaborateurs. Le journaliste James Bamford, son meilleur connaisseur, raconte que le siège de l'agence à Fort Meade dispose désormais de sa propre chaîne de télévision, Canal 50, qui diffuse en interne les renseignements les plus récents obtenus par l'espace. Conçu comme un véritable programme d'information, avec un logo calqué sur celui de CNN, DIN (Defence Intelligence Network) possède son présentateur qui propose un tour du monde exhaustif des événements top secret. Apparaissent alors sur l'écran les plus récentes photos prises par les satellites espions, les conversations interceptées ou encore les dernières rumeurs politiques émanant du monde entier et découlant souvent de rapports envoyés par les attachés militaires.

Sur le coin supérieur de l'écran le degré de confidentialité de l'information est mentionné, secret ou top secret. Un coup d'Etat fomenté au Venezuela avait été annoncé sur DIN « bien avant que CNN ne l'apprenne au monde » rappelle un officier.

Il existe également Interlink, un système Intranet hautement sécurisé et codé qui permet aux analystes et aux espions surnommés *Techno spies* de surfer sur des pages secrètes. En quelques secondes, ils peuvent tout apprendre sur les positions des sous-marins chinois au large des îles Paracelse et Spratly, visionner les images satellites montrant les tanks pakistanais faisant mouvement vers la région du Cachemire ou encore prendre connaissance des dernières communications interceptées en provenance de Corée du Nord. Un système désormais connecté à la Maison Blanche qui peut obtenir ces informations de manière presque instantanée. Un changement majeur, selon un officiel américain qui rappelle qu'autrefois la présidence américaine attendait, pour avoir accès aux documents les plus secrets, les passages des *livreurs de pizza*, surnom ironique donné aux coursiers qui acheminaient les plis confidentiels.

Pénétrer les rouages de l'agence, c'est aussi découvrir une stupéfiante symbiose avec le monde des affaires, les responsables militaires et les milieux scientifiques. Il n'est pas exagéré d'affirmer aujourd'hui que la NSA est devenue le véritable centre du « complexe militaro-informatique ». Et c'est ici que nous retrouvons le NRO. Porté sur les fonts baptismaux par la NSA et un de ses principaux contractants, la firme TRW, spécialisée dans l'aérospatiale, NRO regroupe dès ses débuts des ingénieurs et des scientifiques qui travaillèrent à la création de la première vraie station d'écoute de la NSA. Son nom Rhyolite. De la taille d'un minibus, elle fut lancée en 1970 de Cap Canaveral et mise sur orbite au-dessus de l'Equateur, près de l'Indonésie. Placée dans la meilleure position pour intercepter des messages en provenance d'Union soviétique et de Chine. La station terrestre chargée de recueillir les informations captées se trouvait au centre de l'Australie. Grâce aux travaux du NRO chargé de la construction et du contrôle de tous les satellites espions, ceux-ci gagnaient rapidement en taille et en sophistication. Dès 1971, il lança ses deux nouveaux satellites baptisés « Code 467 » et surnommés *Big Bird*. Douze tonnes, quatre-vingts mètres de haut, la plus sophistiquée des stations d'écoute, pourvue d'appareils de détection capables de distinguer à 200 kilomètres d'altitude un objet haut de 60 centimètres. *Big Bird*, dans les caméras à infrarouge, pouvaient déceler des silos de missiles, même souterrains, parce que la chaleur de la terre, en cet endroit, était plus élevée que la normale ; un prodige de perfection qui rassurait le président des Etats-Unis sur la capacité de son pays à maîtriser l'espace mondial.

Trente-trois ans plus tard, un éditorial de son journal interne peut affirmer : « La NSA réunit une communauté scientifique et technologique qui est unique, non seulement aux Etats-Unis, non seulement dans le monde occidental, mais également à travers l'ensemble de la planète. Nous travaillons sur des projets qu'aucune autre agence ne développe. Nous développons et utilisons des composants qui sont en avance sur tous ceux élaborés ou utilisés par les autres agences ou organisations aux Etats-Unis. Enfin, nous sommes confrontés à des défis d'une grande complexité découlant des évolutions rapides aux frontières de la science et de la technologie. »

Depuis le milieu des années 90, les centres de recherche de la NSA ont réduit la taille des transistors composant une puce à un niveau de miniaturisation tel que 70 d'entre eux tiennent sur la pointe d'un cheveu humain. Son microprocesseur CYPRIS est en mesure de recueillir près de 35 millions d'instructions à la seconde. Les changements rapides dans les nouvelles technologies de la communication ont conduit le NRO à concevoir de nouveaux satellites. Il travaille sur une nouvelle génération IOSA-2 (Integrated Overhead Signals Intelligence Architecture), une installation de plusieurs satellites opérant de façon simultanée. Mais leur mise au point rencontre des difficultés et a pris du retard. Les premiers systèmes qui devaient être prêts en 2002 ne seront pas opérationnels avant 2010. Corollaire de ce piétinement : une explosion des budgets qui font le bonheur des compagnies privées sous-traitantes. Car plus qu'une coopération, c'est un véritable chassé-croisé qui existe entre le monde de l'industrie et l'agence.

Le réseau de fibres optiques, spécialement conçu pour la NSA et qui sert à la transmission interne des documents ultra-confidentiels, a été mis au point par une petite start-up inconnue, Q West, qui possède cependant un actionnaire célèbre, Donald Rumsfeld.

Pour resserrer encore ses liens avec la NSA, la firme Applied Signal Technology a placé en 1995 à son conseil d'administration John P. Devine qui venait juste de quitter son poste de directeur pour la technologie et les systèmes au sein de l'agence. William P. Crowell a quitté le poste de directeur adjoint de la NSA pour devenir vice-président de Cylink, une des firmes les plus importantes dans le codage des produits. Il avait auparavant occupé la vice-présidence d'Atlantic Aerospace Electronics Corporation, un des plus gros contractants de l'agence, tout comme E-Systems qui avait choisi comme vice-président un autre directeur adjoint, Charles R. Lord.

Deux autres firmes proches de la NSA se situent, elles, au cœur du complexe militaro-industriel et révèlent les liens étroits tissés avec les faucons de l'administration. TRW, qui coopère avec le NRO à la fabrication de satellites espions, avait débauché l'ancien directeur de la NSA, William Studeman, pour en faire son vice-président chargé des programmes touchant au renseignement. La puissante firme de consulting et lobbying, Booz-Allen and Hamilton, qui intervient fréquemment sur les contrats négociés avec la NSA, choisit comme directeur le successeur de Studeman, le vice-amiral Mc Connell.

Depuis l'arrivée au pouvoir de l'administration Bush, en janvier 2001, les accords et les fusions se sont accélérés. Le cas de Northrop Gruman, un des principaux contractants du Pentagone, est exemplaire. Ce groupe fabrique le bombardier B2, le Global Hawk, un appareil sans pilote, et coopère à la fabrication des chasseurs F18 et aux programmes sur les systèmes satellites, les sous-marins nucléaires et les porte-avions. Northrop est également un des principaux fabricants de systèmes anti-missiles. A Washington, elle peut compter sur des alliés de poids. Paul Wolfowitz, le ministre adjoint de la Défense et chef de file des néo-conservateurs, fut longtemps son consultant, tout comme le vice-président Cheney qui siégea au conseil d'administration. Le principal lobbyiste du groupe, Chris William, est considéré comme « la main droite » du ministre de la Défense, Donald Rumsfeld. Deux autres faucons sont également des appuis de choix : Dov Zakheim, l'actuel contrôleur général du Pentagone, siégeait à son conseil d'administration, alors que Douglas Feith, sous-secrétaire à la Défense, représentait Northrop en tant qu'avocat.

La crainte d'un « Pearl Harbor spatial »

Je ne suis pas certain que les « faucons » sont arrivés au pouvoir, obsédés uniquement par l'Irak. Les nombreux documents que j'ai lus, leurs interventions avant 2001, tournent tous autour des mêmes objectifs : grossir à tout prix la menace représentée par les missiles balistiques qui pourraient être lancés par des « Etats voyous », comme la Corée du Nord ou l'Iran. Il s'agit d'une véritable fiction mais pourtant, les premiers mois de la présidence Bush, avant le 11 septembre, sont marqués par de multiples interventions pour lancer un nouveau système de défense antimissile qui coûterait des dizaines de milliards de dollars et risquerait de relancer la course aux armes nucléaires. En 2000, Donald Rumsfeld avait présidé une commission du Congrès sur l'« espace » qui avait rendu un rapport alarmiste évoquant un « Pearl Harbor spatial ».

Au début de 2001, ces hommes n'ont qu'un objectif :

faire exploser les budgets de la Défense et favoriser les firmes d'armement auxquelles ils sont liés.

En 2002, grâce à l'entregent de Wolfowitz, Northrop rachète TRW et devient un acteur important sur le marché de l'espace. Un marché fructueux puisque, à la suite de cette acquisition, Northrop crée deux nouvelles unités opérationnelles, Missions System, qui travaille sur le software pour les programmes de missiles, et Space Technology, un fabricant de satellites. En une année, ces deux secteurs permettent au groupe d'augmenter son chiffre d'affaires de près de 2 milliards de dollars. En décembre 2003, le Pentagone accorde à Northrop un contrat de huit ans, portant sur 4,5 milliards de dollars, pour développer et tester le Kinetic Energy Interceptor, un composant clé du nouveau système de missile balistique envisagé par l'administration Bush. Ce programme étant auparavant interdit par le traité ABM (portant sur les missiles antibalistiques) que Bush a annulé en juin 2002. En accordant ce cadeau à Northrop, le Pentagone faisait preuve de mansuétude. La Navy avait poursuivi la firme et réclamé 210 millions de dollars pour la livraison de drones défectueux [1].

En 2003, les regroupements et fusions ont abouti à l'existence de trois grands de l'armement aux Etats-Unis qui accaparent tous les contrats.

Boeing a absorbé Mac Dowell, Lockheed a fusionné avec Martin Marietta pour devenir le numéro un mondial, et Northrop le troisième a reçu en 2002 près de 9 milliards de dollars en contrats, ce qui représente plus de 5 % du budget d'acquisition total du Pentagone.

Le 9 août 2001, Donald Rumsfeld annonce en accord avec George Tenet, directeur de la CIA, la nomination de James R. Clapper comme nouveau directeur de la NIMA

---

1. Avion de reconnaissance sans pilote.

(National Imagery and Mapping Agency). Cet organisme créé en 1996 a une double activité, civile et militaire : il produit et fournit des images, recueillies par les satellites espions du NRO, destinées à « des buts de renseignement pour les forces militaires du pays ». Mais elle travaille également à la collecte d'images pour des « clients civils et des buts commerciaux ».

Le nouveau directeur, James Clapper, ancien lieutenant général, fut directeur de la DIA (Defence Intelligence Agency), les services secrets militaires, avant d'être nommé directeur exécutif, chargé du renseignement militaire de la firme de consulting Booz-Hamilton. Cette société, étroitement liée à la NSA, à la CIA et au Pentagone, constitue un réseau d'influence incontournable à Washington. Elle a obtenu, en 2002, 680 millions de dollars de contrats publics et engagé, la même année, comme vice-président l'ancien directeur de la CIA, James Woolsey, proche des néo-conservateurs.

Le fugitif le plus inexplicablement chanceux

Ce système de cooptation et ces nominations qui visent à maximiser les profits de ces compagnies ignore superbement l'intérêt général et la sécurité du pays. L'écheveau paraît démêlé ; pourtant, en cherchant encore plus loin, on découvre d'autres liaisons dangereuses : toutes ces sociétés privées, employant d'anciens officiels chargés du renseignement et de la sécurité, travaillent étroitement pour le régime saoudien. C'est le cas de Vinell, créée en 1931, la première entreprise américaine à fournir un entraînement militaire à des gouvernements étrangers. Elle fut rachetée par TRW, dont l'un des dirigeants est Robert Gates, ancien directeur de la CIA de Bush père, au fameux fonds d'investissement Carlyle qui compte justement parmi ses actionnaires Bush père et la famille Bin Laden. Les experts de Vinell encadrent depuis 1975 la garde nationale saoudienne, le principal bras armé du pays. BDN, une autre filiale de TRW-Northrop Gruman, également possédée auparavant par Carlyle, emploie 7 000 personnes et assure l'entraînement, la logistique et le traitement des renseignements pour l'armée de terre et les forces aériennes saoudiennes. Elle a notamment fourni 845 spécialistes qui assurent la maintenance de la flotte de F15 achetés par le régime de Riyad. Vinell et BDN sont étroitement liés à la CIA. Quant à Booz-Hamilton, qui supervise le personnel du collège militaire d'Arabie saoudite, il a obtenu en mai 2003, selon *Consultant News* et *Navy Weeks Report*, un nouveau contrat du gouvernement saoudien pour des activités de conseil sur les problèmes navals. Cet accord porte sur un montant de 7,9 millions de dollars et prévoit plusieurs options qui pourraient le porter à 95,3 millions de dollars. En août 2002, Booz-Hamilton a engagé Dale Watson, un choix en apparence surprenant. M. Watson était jusqu'à cette date le responsable du contre-terrorisme au FBI, en charge de toutes les enquêtes sur les attentats du 11 septembre. Selon un membre de l'agence qui a travaillé a ses côtés, « Watson durant cette période s'est scrupuleusement conformé aux directives émanant de l'administration Bush et il a tout fait pour qu'aucune piste ne remonte jusqu'à l'Arabie saoudite ».

Il y a enfin le mystère Bin Laden, évaporé, impossible à localiser : une fable à laquelle personne ne croit dans le monde du renseignement. Les photos prises par les satellites espions du NRO sont si détaillées qu'il est impossible aux yeux des experts que le chef d'Al Qaeda ait pu leur échapper, « même s'il vit enfoui sous terre depuis trois ans », me déclare un spécialiste. James Banford évoque les multiples conversations de Bin Laden captées avant le 11 septembre par la NSA et utilisées par les responsables de l'agence pour impressionner leurs visiteurs de marque. Ils pouvaient entendre le chef d'Al Qaeda parlant avec sa mère ou avec son adjoint, l'Egyptien Al Zawahiri.

Comment enfin croire que la NSA ne puisse repérer Bin Laden, alors que trente-sept ans plus tôt, disposant de moyens beaucoup plus rudimentaires, elle avait retrouvé la trace du Che pourtant caché, lui aussi, dans une région montagneuse, difficile d'accès. Une situation à maints égards identique.

Au début de l'été 1967 des agents appartenant au service des opérations spéciales de la CIA apportèrent leur concours à l'armée bolivienne lancée sur les traces du Che. On savait que celui-ci, parti de La Havane, était arrivé à La Paz en novembre 1966. Il avait transité par Prague, Francfort, São Paulo sous la fausse identité d'un commerçant uruguayen au crâne un peu chauve, grisonnant et portant des lunettes d'écaille, image sensiblement différente de celle du révolutionnaire charismatique. Quelques mois plus tard, il était clair qu'il avait pris la direction d'un mouvement de guérilla dans la province méridionale du pays, une zone extrêmement accidentée. Abattre Guevara devint pour le régime militaire bolivien une priorité. Les unités de Rangers formés par des instructeurs américains et conseillés par des spécialistes de la CIA infligeront plusieurs défaites à la guérilla. Mais le Che restait introuvable. L'élément qui devait permettre sa capture fut l'interception de ses communications radio, malgré une faible puissance d'émission, par un satellite espion de la NSA. L'opération baptisée *Direction Finding* permit une localisation si précise que trois jours suffirent, après que les renseignements eurent été transmis à

La Paz, pour que Guevara fut blessé et capturé non loin du petit village montagnard de La Higuera. Les conseillers de la CIA auprès des autorités boliviennes tentèrent de le ramener vivant afin de le soumettre à un interrogatoire approfondi. Le président bolivien, le général Barrientos, se montra inflexible ; il redoutait que l'annonce de sa capture ne déclenchât à travers le pays des troubles que son gouvernement serait incapable de contrôler. L'ordre définitif arriva le lendemain matin : le prisonnier devait être abattu sur place.

Comparé à Guevara, Ousama Bin Laden doit être considéré comme le fugitif le plus inexplicablement chanceux de la planète. En 1967, le Che n'était pas une cible prioritaire pour les Etats-Unis et pourtant une NSA encore embryonnaire l'avait aisément repéré. Les montagnes afghanes ne sont pas un refuge plus sûr que celles de Bolivie. Pourtant, le terroriste le plus recherché de la planète, dont la capture est présentée par l'administration Bush comme sa priorité numéro un, tient en échec les satellites et les stations d'écoute, bref le système d'espionnage le plus sophistiqué qui ait jamais été élaboré. Une création orwellienne épiant le monde entier et sur laquelle, pour paraphraser la formule sur l'empire de Charles Quint, « le soleil ne se couche jamais ».

Exfiltrations secrètes

Ce fut la moins spectaculaire mais la plus surprenante des « exfiltrations ».

Après le 11 septembre, alors que le ciel américain était totalement interdit de vol, plusieurs jets ont pu survoler le territoire des Etats-Unis avec à leur bord des membres ou des proches de la famille royale saoudienne et vingt-quatre membres de la famille Bin Laden. Au total 140 personnes. Ces appareils empruntèrent les aéroports de Los Angeles, Washington, Houston, Cleveland, Tampa, Lexington, Kentucky, Newark et Boston. « Nous étions plongés dans le pire acte terroriste jamais commis dans l'histoire du pays, déclare Tom Kinton, directeur de l'aéroport Logan à Boston, et nous assistions à l'évacuation des Bin Laden. »

Qui donna le feu vert ? Le Département d'Etat affirme n'avoir joué aucun rôle, le porte-parole du FBI déclare que le bureau n'avait ni le pouvoir ni l'autorité de prendre cette décision. La Maison Blanche, quant à elle, refusa de répondre aux questions, mais il aurait été impossible qu'une telle opération pût se dérouler sans son autorisation. Deux exemples : parmi les appareils utilisés pour ce ramassage, il y avait un DC8 appartenant au président gabonais, Omar Bongo ; par ailleurs, le 13 septembre,

alors même que la FAA (Federal Aviation Administration) maintenait l'interdiction de vol pour les 200 000
avions privés, un Learjet décolla de Tampa, en Floride,
pour Lexington dans le Kentucky, avec à son bord une
dizaine de personnalités saoudiennes. Au même moment,
des avions de chasse décollaient pour intercepter et forcer
à l'atterrissage trois appareils qui violaient l'interdiction.
Les consignes étaient si drastiques qu'un avion acheminant des organes humains destinés à des transplantations
fut contraint de se poser en catastrophe. L'homme qui
coordonnait l'évacuation des Saoudiens était Dale Watson, le chef du contre-terrorisme au FBI, qui travaille
désormais pour l'entreprise Booz-Hamilton, étroitement
liée aux intérêts saoudiens.

Les membres de son équipe chaperonnaient les Saoudiens, assurant leur transfert alors qu'ils auraient dû être
mobilisés à plein temps par l'enquête sur les attentats.
L'ambassadeur d'Arabie à Washington, Bandar Bin Sultan, surnommé en raison des liens étroits qu'il entretenait
avec le président américain et sa famille « Bush Sultan »,
avait rencontré l'hôte de la Maison Blanche le 13 septembre pour, officiellement, lui faire part de ses inquiétudes quant aux représailles dont pourraient être victimes
les Saoudiens présents sur le sol américain et obtenir leur
départ rapide pour le royaume. Immédiatement après les
attentats, un des frères d'Ousama Bin Laden avait appelé,
affolé, l'ambassade saoudienne, qui l'avait logé dans une
suite de l'hôtel Watergate, à Washington, avec pour
consigne de ne pas ouvrir sa porte.

Quand le Learjet venant de Tampa se posa le 13 septembre sur l'aéroport dans le Kentucky, ce fut à proximité
d'un Boeing 747 aux couleurs de la Saudi Arabian Airlines, immobilisé sur le tarmac. Un homme était déjà installé à bord du Jumbo Jet. Il s'agissait d'un neveu du roi
Fahd, le prince Ahmed Bin Salman bin Abdul-Aziz. Agé

de 43 ans, fils du gouverneur de Riyad connu pour ses opinions islamistes intégristes, Ahmed Bin Salman était un entrepreneur prospère, à la tête du plus grand groupe de presse saoudien... Amateur de courses, son écurie remporta en 2002 le célèbre Derby du Kentucky, le prince était venu acquérir des chevaux. A l'annonce des attentats il déclara : « Je suis un homme d'affaires, je n'ai rien à voir avec ce qui vient d'arriver. Je me sens aussi mal que n'importe quel Américain. » Le lendemain, il acheta deux pur-sang pour un montant de 1,2 million de dollars.

Ahmed Bin Salman, comme les 139 autres Saoudiens embarqués à bord du 747, fit escale à Boston. Plusieurs membres de la famille Bin Laden y résidaient ou poursuivaient leurs études. La famille d'Ousama finançait à l'université Harvard un centre d'études islamiques à hauteur de 2 millions de dollars.

Dans une lettre adressée au président Bush pour réclamer l'ouverture d'une enquête, le sénateur Charles E. Schumer[1] écrivit : « Quelle qu'en soit la raison, il apparaît que ces Saoudiens ont obtenu un laissez-passer du gouvernement américain, et ce en dépit de leur connaissance potentielle des événements du 11 septembre. Autoriser 140 Saoudiens à quitter le territoire des Etats-Unis sans interrogatoire du FBI, malgré leurs liens potentiels avec les attaques terroristes, est clairement un éclatant échec dans l'enquête. Il s'agit d'un autre exemple des privilèges affectueux que nous octroyons aux Saoudiens. C'est presque comme si nous voulions éviter de connaître les liens qui pourraient exister [entre ces hommes et les attentats]. » Dale Watson, l'équivoque chef du contre-terrorisme au FBI, fournit une réponse embarrassée : « Il n'y avait aucune raison de mener des discussions ou des interrogatoires approfondis [avec ces personnalités]. »

1. Sénateur démocrate de l'Etat de New York depuis 1998.

L'énigme Zubaydah

L'affaire, déjà suffisamment surprenante, connut un rebondissement inattendu le 28 mars 2002 à 2 heures du matin, lorsque les forces d'élite pakistanaises, épaulées par des hommes du FBI, encerclèrent une maison de deux étages à Fayçal City, une banlieue de Faisalabad, une ville industrielle située dans l'ouest du Pakistan. Un appel téléphonique provenant du Pakistan et intercepté par le NSA avait permis de localiser le lieu. Pendant la préparation de l'assaut, le NRO transmettait en direct au quartier général de la CIA des images infrarouges provenant d'un de ses satellites, qui permettaient d'évaluer les mouvements et le nombre de personnes présentes dans l'habitation.

A 4 heures du matin, l'attaque fut déclenchée et 20 minutes plus tard 35 Pakistanais et 27 étrangers étaient neutralisés. Parmi eux on comptait quatre blessés. L'un d'eux fut rapidement identifié par un officier des services secrets pakistanais qui l'avait rencontré auparavant. Il s'agissait d'Abu Zubaydah, le chef des opérations d'Al Qaeda, un des responsables les plus recherchés de l'organisation. La trajectoire de Zubaydah épousait la naissance et la trajectoire d'Al Qaeda. Né en Arabie saoudite, il avait grandi dans la bande de Gaza où il était devenu un sympathisant du Hamas avant d'être recruté par le futur bras droit de Bin Laden, le médecin égyptien Al Zawahiri, qui dirigeait le Djihad islamique égyptien qui fusionna ensuite avec Al Qaeda.

Selon plusieurs sources Zubaydah avait coordonné l'attaque à Aden contre le navire américain *USS Cole* et la préparation d'attentats à l'aéroport de Los Angeles qui prévoyaient l'explosion en plein vol, le 1er janvier 2000, d'une dizaine d'avions de ligne. Il avait également dirigé les camps d'Al Qaeda dans l'est de l'Afghanistan, dont le site de Tora Bora, où des milliers de volontaires musulmans s'entraînaient à de futures opérations terroristes. Alors que son mentor Ousama Bin Laden continuait de passer superbement entre les mailles des filets tendus, Zubaydah, comme Guevara, était tombé, victime de la capacité d'interception de la NSA qui avait localisé ses appels par téléphone satellite. Les Pakistanais, soupçonnés de se livrer à un double jeu permanent, donnaient ainsi satisfaction aux Américains. L'arrestation de Zubaydah me faisait penser à la définition pleine d'humour de William Colby, décrivant les purges qui en 1974 avaient touché la CIA : « On a fait dégringoler les singes qui étaient dans les branches mais on n'a pas coupé les grands arbres. » Bin Laden et Al Zawahiri restaient en effet introuvables et la capacité de nuisance d'Al Qaeda ne semblait pas durablement altérée.

Zubaydah fut d'abord conduit à proximité d'Islamabad, la capitale du Pakistan, dans un lieu spécialement aménagé par la CIA. Trois jours plus tard, son identité vérifiée et son état de santé à peu près stabilisé, il fut placé à bord d'un avion militaire qui décolla pour l'Afghanistan. La CIA disposait sur la base militaire de Bagram, à côté de l'aéroport de Kaboul, d'un centre d'interrogatoire ironiquement surnommé *Hôtel Californie*. Les spécialistes américains, rompus à toutes les techniques d'interrogatoire, n'auraient pourtant jamais imaginé ce que Zubaydah allait révéler.

L'enquêteur Gerald Posner, qui a eu accès à deux sources, l'une émanant de la CIA, l'autre d'un « responsable de haut niveau de l'exécutif américain », en rapporte le déroulement. La CIA avait aménagé un faux décor pour que Zubaydah croie qu'il avait été transféré en Arabie saoudite dans un hôpital militaire. Soumis à plusieurs injections de sodium penthotal, Zubaydah vit entrer dans la pièce deux hommes portant des uniformes saoudiens qui commencèrent à l'interroger. Il s'agissait en réalité de deux Arabes américains appartenant aux forces spéciales. Quand il les aperçut, selon Posner, le responsable d'Al Qaeda ne manifesta « aucune crainte mais poussa un profond soupir de soulagement ». Il redoutait d'être torturé puis tué par les Américains et il communiqua spontanément, de mémoire, le téléphone du domicile ainsi que le portable d'un membre de la famille royale en ajoutant : « Appelez-le, il vous dira ce que vous devez faire. » Les Américains vérifièrent. Les deux numéros étaient ceux du prince Ahmed Bin Salman Bin Abdul-Aziz, le propriétaire d'écurie de course qui avait été secrètement rapatrié du Kentucky le 11 septembre.

Des morts inexpliquées

Selon les enquêteurs, Zubaydah cherchait uniquement à brouiller les cartes en lâchant une fausse information destinée à les égarer. La CIA estimait que le prince, neveu du roi, avait le profil du mauvais client. Diplômé de l'université de Californie, extrêmement connu en Occident dans les milieux d'affaires, il offrait le visage avenant d'un homme totalement éloigné de tout engagement islamiste radical.

Zubaydah fut privé de sommeil, de traitements contre la douleur. Les deux Arabes américains lui déclarèrent qu'il avait menti, que les numéros fournis étaient faux et qu'il risquait d'être exécuté pour avoir tenté de compromettre un membre de la famille royale régnante. Zubaydah se lança alors dans un monologue de dix minutes qui allait révéler une vérité effarante. Il voulait absolument convaincre ses interlocuteurs de la véracité de ses propos et éviter de retomber entre les mains des Américains.

Selon Gerald Posner, il livra plusieurs noms : outre celui du prince Ahmed Bin Salman, il y avait son cousin le prince Sultan Bin Fayçal Bin Saoud, âgé de 41 ans, le prince Fahd Bin Turki Bin Saoud Al Kabir, ainsi que l'ancien chef des services secrets saoudiens, le prince Turki Ibn Fayçal, fils de l'ancien roi Fayçal. Il mentionna un cinquième nom, celui du responsable de l'armée de l'air pakistanaise, le maréchal Mir. Il ajouta que le « prince Ahmed et le maréchal Mir savaient qu'une attaque était programmée pour le 11 septembre sur le sol américain. Ils ne pouvaient l'empêcher ou avertir les Américains, précisa-t-il, parce qu'ils ignoraient où l'attaque aurait lieu et sa nature ». Il révéla également qu'il était présent aux côtés de Bin Laden, en 1996, quand celui-ci avait passé un accord avec le maréchal Mir, lié à l'ISI, le tout-puissant service secret pakistanais, un accord qui prévoyait que l'ISI fournirait armes, munitions et protection à Bin Laden et Al Qaeda. Zubaydah était également présent lors des nombreuses rencontres qui avaient eu lieu au Pakistan et en Afghanistan entre Ousama Bin Laden et le prince Turki, le chef des services secrets saoudiens. Il représentait Al Qaeda durant l'été 1998, lors d'une réunion à Kandahar entre le prince Turki et les responsables talibans. Le Saoudien les avait assurés de l'aide de son pays et précisé qu'il ne réclamerait jamais l'extradition de Bin Laden, aussi longtemps qu'Al Qaeda mènerait ses actions hors du royaume. Zubaydah conclut en indiquant que les financements destinés à Al Qaeda transitaient par plusieurs intermédiaires dont des membres de la famille royale. En plus du prince Ahmed, il s'agissait des noms qu'il avait cités au début.

En apportant un éclairage aussi cru sur cette alliance clandestine tissée par des responsables pakistanais et saoudiens avec la mouvance terroriste d'Ousama Bin Laden, Zubaydah ne pouvait qu'embarrasser Washington. Quand les informations de Posner furent publiées, un communiqué officiel diffusé par les autorités américaines affirma que « ces assertions, après vérification, étaient fausses et malveillantes ». Selon Posner, « l'administration Bush avait décidé qu'il était hors de question de créer un incident international et tendre les relations avec des alliés régionaux qui jouaient un rôle critique tant dans la guerre en Afghanistan que dans la préparation d'une intervention militaire en Irak ».

Les responsables saoudiens ne livrèrent aucun commentaire mais quatre mois après les aveux de Zubaydah, les trois princes dont il avait révélé les noms moururent inexplicablement à quelques jours d'intervalle. Le prince Ahmed Bin Salman d'une crise cardiaque dans son lit, à 43 ans, alors qu'il séjournait à l'hôpital de Riyad après une opération bénigne. Le jour suivant, le prince Sultan Bin Faisal Bin Turki, 41 ans, fut tué dans un accident de la circulation sur la route entre Djedda et Riyad, alors qu'il se rendait aux obsèques de son cousin. Une semaine plus tard le prince Fahd Bin Turki Bin Saoud Al Kabir, âgé de 25 ans, fut retrouvé mort dans la province de Remaah à 77 kilomètres à l'est de Riyad. Un communiqué officiel émanant de la Saudi Royal Court annonça sa disparition en précisant que le prince, voyageant durant la période la plus chaude de l'été, était « mort de soif ».

Seul le prince Turki, ancien chef des services secrets durant vingt-cinq ans et véritable parrain d'Ousama Bin Laden, échappait à cette hécatombe. Probablement parce qu'il détenait trop de secrets compromettants impliquant les membres de la famille royale. Démis de ses fonctions par le prince héritier Abdallah, dix jours avant le 11 septembre, il occupe depuis 2002 le poste d'ambassadeur du Royaume saoudien à Londres.

Sept mois plus tard, le « cinquième homme » mourut à son tour dans des circonstances tout aussi mystérieuses. Le 20 février 2003, le maréchal pakistanais Ali Mir, sa femme et quinze de ses proches disparurent dans l'accident de leur Fokker qui s'écrasa près de Kohat, la province frontalière au nord-ouest du pays. Le temps était dégagé, la visibilité parfaite et l'appareil venait de subir une révision. Aucune enquête officielle ne fut ouverte.

Les révélations de Posner n'ont fait l'objet d'aucun démenti convaincant et, comme pour appuyer ses propos, l'examen des derniers mois de la vie du prince Ahmed jette un trouble. Le 7 mai 2002, il se trouve dans les tribunes de l'hippodrome de Lexington, au Kentucky, pour assister à la victoire du cheval War Emblem portant ses couleurs. Il s'agit de son premier retour sur le lieu d'où il a été évacué huit mois plus tôt. Il est venu à bord de son Boeing 727 luxueusement aménagé. Il confiera après la course : « C'est un honneur pour moi d'être le premier Arabe à gagner le Kentucky Derby », et il ajoute une remarque qui avec le recul prend un certain relief : « Le public américain me traite mieux que je ne suis traité en Arabie saoudite. » Son comportement public avait pourtant choqué tous les observateurs. Jimmy Breslin écrivit dans *Newsday* : « Il jubilait à la pensée des millions que la course venait de lui rapporter et ce en présence de Ladder 3 [une compagnie de pompiers new-yorkaise présente dans les tours du World Trade Center et qui assistait à l'événement hippique]. J'aurais apprécié que le prince Ahmed nous fasse savoir qu'il était désolé de ce qui était arrivé et demande ce qu'il pourrait faire pour aider, après les dommages infligés par Bin Laden. » Visiblement, la tragédie du 11 septembre obsédait moins le prince que l'éventualité de gagner la « triple course », les trois épreuves hippiques les plus cotées de l'année. Cependant, le 8 juin, quand son cheval se présenta au départ, à Belmont Stoke, le prince était inexplicablement absent. La veille, il prévint son entraîneur, d'un bref coup de téléphone, qu'il était retenu à Riyad par des obligations. Depuis cette date, il semble que plus personne n'ait pu entrer en contact avec lui. Dix semaines plus tard, le 22 juillet, son cœur avait lâché.

Pendant la tragédie, les affaires continuent

La disparition du prince Ahmed survenait un an presque exactement après la mort tout aussi inexpliquée de son frère aîné. Le prince quadragénaire Fahd Bin Salman était en effet décédé le 25 juillet 2001... d'une crise cardiaque.

Deux mois après son décès, alors que les décombres du World Trade Center fumaient encore, les milieux d'affaires américains courtisaient avec assiduité les dirigeants saoudiens. La mariée était en effet fort bien dotée. Les compagnies pétrolières et gazières rêvaient au nouveau projet d'exploitation de gaz, évalué à 25 milliards de dollars, que le prince héritier Abdallah négociait avec elles, par l'intermédiaire du cabinet de James Baker, l'ancien secrétaire d'Etat de Bush père, et son associé au sein du fonds d'investissement Carlyle. Le puissant cabinet d'avocat Baker Botts, installé à Houston, possédait un bureau à Riyad où il était devenu un partenaire quasi incontournable pour tous les contrats importants négociés avec les Saoudiens. James Baker comme son ami George Bush recueillaient de fructueux dividendes pour le rôle qu'ils avaient joué durant la première guerre du Golfe, en protégeant le royaume saoudien.

En août 2001, un mois seulement avant les attentats, un des collaborateurs de James Baker, George Goolsby, affirmait que le cabinet était « excité » par l'ouverture à des firmes internationales du secteur gazier saoudien et qu'il était « impliqué avec deux à trois clients dans la seconde phase du projet ». Quelques semaines plus tard, l'ancienne firme du président Cheney, Halliburton, également cliente du cabinet Baker, signait un contrat d'un montant de 140 millions de dollars pour le développement des champs pétrolifères saoudiens.

Un autre événement, discret mais révélateur, illustrait l'emprise de Baker et Bush sur les relations américano-saoudiennes et soulignait amèrement que même « pendant la tragédie les affaires continuaient ». Le 21 septembre, onze jours seulement après le drame, le nouvel ambassadeur des Etats-Unis en Arabie saoudite, Robert Jordan, choisi par George W. Bush, voyait sa nomination confirmée par le Sénat. Avocat au sein du cabinet Baker, il avait conseillé l'actuel président quand sa compagnie pétrolière, Harken, renflouée par les Saoudiens, traversait de grosses difficultés. Lors de son audition devant les sénateurs, Jordan témoigna, accompagné de James Dothy, un autre partenaire du cabinet Baker, qui avait assuré le montage juridique du rachat, par George W. Bush, de l'équipe de base-ball des Texas Rangers.

En progressant dans mes recherches, je découvrais que tous les secteurs, y compris les plus sensibles et les plus stratégiques, faisaient l'objet d'accords entre responsables américains et saoudiens. Ce n'était pas une nouveauté. Au milieu des années 70, j'avais constaté que les mutations importantes correspondaient rarement aux chronologies officielles. A l'époque, la détente Est-Ouest avait remplacé la guerre froide. Une vision manichéenne et belliqueuse des problèmes internationaux avait été éliminée au profit d'une approche plus sophistiquée reposant sur la stabilisation et la réduction des conflits. La crise de Cuba, en 1962, était apparue à la fois comme le premier duel nucléaire Moscou-Washington et le dernier risque d'affrontement direct entre les deux superpuissances. Mais cette nouvelle donne diplomatique n'avait pas réduit d'un iota la fabrication et les ventes d'armes qui constituaient une activité commerciale prioritaire. En 1975, le chiffre d'affaires réalisé conjointement par le complexe militaro-industriel occidental et les « mangeurs d'acier soviétiques » (c'est ainsi que l'on surnommait les industries d'armement soviétiques) atteignait 300 milliards de dollars. Le montant des fournitures consacrées à l'OTAN s'élevait à 150 milliards de dollars ; celles destinées au Pacte de Varsovie à 110 milliards de dollars. Les grandes firmes américaines du secteur se nommaient déjà Northrop, Lockheed, Boeing ou encore General Electric, Hughes Aircraft. Le Pentagone, qui coopérait étroitement avec elles, pouvait compter sur les services de plus de quatre cents personnes, appartenant à des groupes de pression ou encore sénateurs et représentants implantés dans des organismes clés comme la Commission de l'énergie atomique, le Comité sénatorial pour les relations avec l'étranger et le Comité pour les affaires internationales de la Chambre des représentants. Six mille personnes exerçaient un travail de promotion et de lobbying en faveur des derniers modèles de rockets ou des récentes modifications apportées au système de mise à feu des ogives nucléaires. Dans cette course au profit, l'extrême sophistication du matériel produit annulait toute conclusion belliqueuse entre les deux grands. Il s'agissait essentiellement de décrocher des contrats pour obtenir la fabrication ou la vente de matériels qui seraient périmés quelques années plus tard, lors de leur mise en service, et qu'il faudrait immédiatement remplacer.

J'avais même découvert que le 25 février 1976, le ministère de la Défense américain avait fini par admettre, du bout des lèvres, que les Etats-Unis fabriquaient depuis

1972 en Union soviétique les roulements à billes miniatures indispensables à la mise au point du système de guidage qui équipait les missiles balistiques MIRV à têtes multiples. Là encore, la décision de rompre avec la politique d'embargo reposait uniquement sur des considérations commerciales. Selon le Pentagone, plusieurs compagnies italiennes et suisses, contractants de l'OTAN, fabriquaient sur place des pièces semblables et approvisionnaient depuis plusieurs années les Soviétiques.

J'évoque ce souvenir parce qu'il est absolument identique à ce que j'ai découvert trente ans plus tard en enquêtant sur les morts mystérieuses à un an d'intervalle des deux princes Salman.

Satellites espions aux plus offrants

Lors d'un séjour en Israël, au début de l'année 2004, pour la préparation de ce livre, j'avais eu entre les mains une analyse publiée par un chercheur, Gerald Steinberg, travaillant pour le Centre Begin-Sadate sur les études stratégiques, rattaché à l'université de Bar-Ilan. Ce travail remontait à février 1998 mais contenait de précieuses informations sur les affrontements feutrés entre Israël et les Etats-Unis pour l'utilisation et la vente de satellites espions. L'étude de Steinberg portait un titre rébarbatif : « Double utilisation des satellites commerciaux à imagerie haute résolution » (*Dual Use Aspects of Commercial High-Resolution Imaging Satellites*), mais révélait dès les premières lignes les inquiétudes de l'Etat hébreu : « Les récents changements survenus dans les capacités technologiques des systèmes d'image commerciale et les évolutions de la politique américaine ont aussi conduit Israël à examiner les implications qui en découleraient pour les Etats concernés. Les responsables israéliens ont réalisé que les Etats arabes et l'Iran, aussi bien que les groupes terroristes, seraient en mesure d'exploiter ces images à haute résolution pour obtenir des renseignements extrêmement détaillés sur les capacités et les mouvements israéliens, mais aussi de cibler des sites israéliens avec un haut degré de précision, particulièrement si ces images étaient combinées avec des missiles balistiques ou de croisière extrêmement précis. En décembre 1989, quelques mois avant l'invasion du Koweït, l'Irak lança un missile à trois étages, le Al Abid, et le gouvernement de Bagdad déclara qu'il s'agissait d'un test de sa capacité d'indépendance en matière spatiale. »

L'étude évoquait ensuite l'étroitesse du territoire israélien, qui le rendait particulièrement vulnérable aux images haute résolution obtenues à partir de satellites espions. Puis elle détaillait les deux principales étapes qui avaient marqué une inflexion de l'attitude américaine. En 1992, l'administration de Bush père fit voter le *Land Remote Sensing Policy Act*. Immédiatement après, les Emirats arabes unis se portèrent acquéreurs d'un satellite. Le 19 novembre 1992, le *Jerusalem Post* écrivit que les responsables israéliens étaient scandalisés par la vente possible d'un supersatellite espion américain à un Etat arabe. L'article rapportait les propos d'un officiel du ministère de la Défense, déclarant : « Depuis des années, nous réclamons aux Américains qu'ils nous fournissent beaucoup plus de photos détaillées en provenance de leurs satellites et souvent nous avons essuyé des refus, même quand les Scud irakiens tombaient sur Tel-Aviv... Les Américains ont également fait leur possible pour nous refuser toute aide dans la construction de notre propre satellite de reconnaissance. Et maintenant, ils vont fournir aux Arabes des jumelles qui leur permettront d'observer chaque mouvement militaire sur notre territoire. »

L'achat du satellite, convoité par les Emirats arabes, était appuyé par le ministère du Commerce américain. Sur le point de se conclure, il fut au dernier moment bloqué par le Département d'Etat, en grande partie pour calmer l'indignation israélienne.

Mais cet enjeu hautement stratégique allait connaître un nouveau rebondissement qui conduisit à des alliances périlleuses. En 1994, la décision présidentielle n° 23, prise par Bill Clinton, autorisait des firmes privées à développer, lancer et vendre des satellites reproduisant des images haute résolution. En janvier 1997, le ministère du Commerce avait délivré des licences à neuf compagnies américaines, certaines associées à des partenaires étrangers, pour onze types de satellites, pourvus d'un large éventail de capacités techniques.

Le NRO qui jusqu'alors avait la haute main sur les satellites espions se trouvait privé d'une partie de ses prérogatives. En théorie, désormais, n'importe quel pays en mesure de payer pouvait s'offrir les services de satellites espions, obtenir les images haute résolution les plus précises sur le potentiel militaire de ses ennemis et ainsi influer sur le « cours des armes ».

La décision prise par Clinton en 1994 ouvrait une véritable brèche dans laquelle s'engouffra, la même année, une société saoudienne du nom d'Eirad. Elle cherchait à acquérir une participation majoritaire dans Eyeglass (devenue Orbview). Cette société installée à Dulles, près de Washington, à proximité du NRO, au 21700 Atlantic boulevard, fabriquait « pour les agences gouvernementales américaines et aussi pour des clients commerciaux et scientifiques » une gamme de produits allant des lanceurs de satellites aux satellites eux-mêmes, placés sur orbite basse et destinés à des missions scientifiques et militaires. Dans son rapport d'activité, la firme précisait qu'elle avait lancé son premier satellite Observer 1 destiné à la NASA en avril 1995 et qu'elle avait acquis, le 31 décembre 1998, les « droits mondiaux pour distribuer et vendre l'imagerie de Radarsat 2 (The Radar Sat License), "la génération suivante" de satellites commerciaux pourvus d'images radar haute résolution dont nous attendons qu'elle soit opérationnelle au début de l'année 2002. A la différence de la technologie reposant sur l'imagerie optique, la technologie radar permet de recueillir des images de nuit et par toutes les conditions météorologiques. Radar Sat 2 disposera de capacités de multipolarisation sans équivalent qui permettent d'obtenir sous terre et sous l'eau des précisions à partir d'images aussi bien horizontales que verticales. Cette technologie unique peut être utilisée pour repérer à la surface de la terre des détails tels que la circulation des plaques de glace, l'infiltration du pétrole ou encore des objets métalliques beaucoup plus efficacement que les systèmes optiques classiques ».

Israël menacé

Eirad, la compagnie saoudienne qui voulait s'assurer une participation d'importance dans Orbview, souhaitait en contrepartie la construction d'une station de guidage à Riyad et l'exclusivité des droits de couverture pour toutes les photos satellites prises au-dessus de l'ensemble de la zone du Moyen-Orient. La société affirmait que son principal utilisateur serait le ministère de la Défense saoudien. En réponse, selon l'analyse de Gerald Steinberg, le gouvernement israélien fit savoir qu'une telle décision fournirait aux Etats arabes, y compris l'Irak, des informations hautement sensibles qui menaceraient la sécurité d'Israël et ses intérêts vitaux. Le 2 août 1994, signe des pressions saoudiennes qui s'exerçaient sur elle, l'administration Clinton demanda à Israël de ne pas s'opposer à l'accord passé par Orbview, qui prévoyait que la firme saoudienne détiendrait 20 % de son capital. Tel-Aviv répliqua en évoquant le rôle négatif joué par l'Arabie saoudite dans l'instabilité régionale, sa contribution au conflit israélo-palestinien et le soutien qu'elle apportait aux groupes islamistes radicaux ; un argument défendu par soixante sénateurs et bon nombre de membres de la Chambre des représentants qui tous exprimaient leur inquiétude sur le transfert d'un système qui « serait capable de recevoir et distribuer à travers le Moyen-Orient des images de qualité en provenance d'Israël, prises par un satellite espion ». Le sénateur Bingaman déclara notamment : « C'est franchement écœurant. Notre industrie ne peut pas et ne devrait pas essayer de réaliser des profits en fournissant des images satellites d'Israël à la Syrie, à la Libye, à l'Irak et à l'Iran. Si ces pays pensent que ce marché leur sera autorisé, alors ils connaissent mal le Congrès. »

En réponse, les responsables d'Orbital Sciences Corporation, la firme qui contrôlait Orbview, firent observer que même si Eirad détenait une position d'actionnaire, sa marge de manœuvre serait limitée par les contraintes imposées par les lois américaines et les règles d'obtention des licences. Au terme d'un échange de lettres entre le ministère du Commerce américain et les responsables d'Orbview, la firme acceptait d'exclure le territoire d'Israël des zones visionnées et de placer sur le satellite un système qui interdirait l'enregistrement de telles images.

Le gouvernement israélien considérait ces garanties comme trop vagues et le Premier ministre Itzak Rabin estimait qu'il s'agissait là d'un dossier prioritaire. Au début de l'année 1996, Clinton et Rabin parvinrent enfin à un accord. Les Etats-Unis acceptaient de restreindre le rôle des Saoudiens en leur refusant notamment la possibilité de contrôler la trajectoire du satellite à partir du sol et en bloquant la vente de software permettant l'agrandissement des images.

Pour Eirad, qui avait acquis en juin 1995 20 % d'Orbview (ou plutôt d'Orbimage, son nouveau nom) à un prix extrêmement élevé, c'était la conclusion amère d'âpres négociations. Ce fut aussi probablement pour le propriétaire du consortium saoudien une déception importante. Son nom est mentionné en une ligne dans l'étude de Gerald Steinberg et j'ai sursauté en le découvrant : il s'agit du prince Fahd Bin Salman Bin Abdulaziz, mort un an avant son frère cité dans le financement des attentats du 11 septembre. Cerise sur le gâteau, Eirad et le prince bénéficiaient d'appuis solides auprès d'hommes et d'entreprises étroitement liés au monde de l'espionnage américain.

Les responsables d'Orbital Images, la maison mère qui négociait avec Eirad, étaient en effet en contact avec le NRO et la NSA ; leurs champs de compétence se recoupaient. La firme saoudienne coopérait également avec une société qui fabriquait le software permettant de contrôler les satellites. Son nom, Mitre, une contraction de Massachusetts Institute of Technology and Rand Corporation, deux centres de recherche prestigieux proches de la NSA et du Pentagone, tout comme cette firme. Mitre avait notamment élaboré pour l'US Air Force le premier système de contrôle et de commande destiné à surveiller l'espace aérien américain en temps réel. Exactement ce qui aurait dû fonctionner le 11 septembre lorsque le Norad et le NRO étaient en état d'alerte.

L'homme placé à la tête de ce centre de recherche, alimenté par des fonds publics, est une figure tutélaire du monde du renseignement. En effet, James Schlesinger a dirigé la CIA avant de prendre la tête du Pentagone et il demeure depuis des décennies une personnalité incontournable de Washington. « L'homme détenteur de tous les secrets de la capitale », m'a confié l'un de mes interlocuteurs. Mitre, depuis ses débuts en 1958, a quatre clients principaux : le ministère de la Défense, la FAA (l'administration de l'Aviation fédérale), les agences de renseignement et plus particulièrement la NSA, le NRO et la DIA, ainsi que l'IRS, l'International Revenue Service (l'administration des impôts).

Coïncidence, ses plus récents travaux et innovations portent sur les solutions à apporter aux menaces aériennes, un nouveau système de contrôle pour l'US Air Force et Interlink, un système Intranet permettant de répartir dans le plus grand secret les informations entre les services secrets. En outre, elle travaillait avec les trois principales agences fédérales concernées par les événements du 11 septembre (les services secrets, la FAA et le ministère de la Défense) et ses recherches sont justement axées sur les moyens de neutraliser un tel événement.

Depuis 1995, elle avait un nouveau client par le biais d'Orbimage : Eirad. La firme saoudienne n'aurait jamais dû être en mesure de franchir les procédures de contrôle, en raison des applications « ultrasensibles » qu'elle recherchait : l'acquisition d'un satellite espion ultraperfectionné pouvant constituer une arme de premier choix entre les mains des Saoudiens, mais dont les images recueillies auraient pu également être exploitées efficacement par une organisation terroriste comme Al Qaeda.

Tous les responsables des services de renseignement américains ne pouvaient ignorer le danger représenté par un tel accord. Pourtant, ils l'ont implicitement approuvé, encourageant même la coopération entre les Saoudiens et des sociétés dont les recherches et les programmes sont si secrets, selon un de ses responsables, « que nous cachons même nos découvertes aux dirigeants de nos forces armées ». Pourquoi une telle complaisance ?

Enfin, comment interpréter la mort d'une prétendue crise cardiaque du propriétaire d'Eirad, le prince Fahd, en août 2001, juste avant les attentats du 11 septembre, où le nom de son frère allait être évoqué ? Dernier détail : quatre mois avant sa disparition, la participation d'Eirad n'apparaissait plus dans les comptes d'Orbital ; un élément compromettant effacé. Orbital Image ne fit ni le bonheur d'Eirad ni celui du prince Fahd, mais elle combla enfin ses actionnaires après l'entrée en guerre des Etats-Unis contre l'Irak. Le cours de l'action qui se traînait autour de 3 dollars doubla en quelques jours.

Eirad et son propriétaire mystérieusement disparu ne constituaient pas les seules alliances équivoques tissées par Mitre, les services secrets et le Pentagone avec des sociétés et des hommes proches, très proches même à la fois du terrorisme islamique et de Bin Laden, mais aussi de George W. Bush et son administration.

6

Des associations si charitables

En octobre 2001 les forces spéciales de l'OTAN lancèrent un raid à Sarajevo contre le siège d'une organisation humanitaire saoudienne opérant en Bosnie. La fouille des locaux de la Haute-Commission saoudienne pour l'aide à la Bosnie permit de mettre la main sur des photographies des tours du World Trade Center, prises avant et après les attentats, des ambassades américaines au Kenya et en Tanzanie, détruites en 1998, ainsi que du navire *USS Cole* frappé à Aden en 2000. Le matériel récupéré comprenait également des cartes de Washington où l'emplacement des bâtiments officiels était souligné, de quoi fabriquer de faux laissez-passer à en-tête du Département d'Etat, ainsi qu'une documentation sur l'utilisation des avions conçus pour pulvériser des insecticides au-dessus des récoltes. Répandre des produits chimiques toxiques par voie aérienne, de préférence au-dessus d'une ville, était un des objectifs des cellules d'Al Qaeda.

Les bureaux abritaient aussi des documents antisémites et antiaméricains destinés aux enfants. Ce butin édifiant conduisit à l'arrestation de six Algériens soupçonnés de préparer un attentat contre l'ambassade des Etats-Unis à Sarajevo. Au cœur de l'Europe les officiels saoudiens poursuivaient leur effort de financement et de recrutement en direction des organisations terroristes qui composaient la nébuleuse Al Qaeda. Un membre du bureau bosniaque de cette organisation avait été en contact téléphonique avec Ousama Bin Laden et son adjoint, le fameux Abu Zubaydah, auteur des révélations.

La Haute-Commission saoudienne pour l'aide à la Bosnie (The Saudi High Commission for Aid to Bosnia) est une pure création de la famille royale saoudienne. Soutenue par le roi Fahd, elle a été créée et financée par son frère, Salman Bin Abdul-Aziz, le tout-puissant gouverneur de Riyad. Le prince Salman ne travaille pas seulement officiellement à la réislamisation de la population bosniaque, il possède une autre caractéristique intéressante. Il était en effet le père du prince Ahmed, mentionné par Zubaydah pour son soutien financier à Al Qaeda et sa connaissance de la préparation du 11 septembre, et du prince Fahd, le propriétaire d'Eirad.

Au début des années 80, alors que le soutien saoudien aux moudjahidin afghans en guerre contre Moscou ne cessait de prendre de l'ampleur, Salman se révéla le plus ferme appui du jeune Ousama Bin Laden, l'aidant à lever des fonds, à recruter des volontaires. Les « sept Sudairis » qui contrôlent le royaume (le roi et ses six frères, dont Salman, petits-fils en lignée directe du roi Ibn Saoud, fondateur du pays) apportaient à Ousama la caution et la légitimité de la famille royale. Toutes les informations que j'ai pu recueillir au cours de cette enquête tendent à prouver que Salman demeure au cœur de cette nébuleuse caritative et financière qui alimente Al Qaeda.

Mercy International Relief Organisation, une organisation humanitaire saoudienne, joua un rôle crucial dans les attentats de 1998 contre les ambassades américaines. Lors du procès qui se déroula à New York, un des inculpés mentionna Mercy comme l'une des associations

charitables servant de façade aux organisations terroristes. Des documents présentés lors du procès démon-
traient que l'organisation avait acheminé des armes de
Somalie au Kenya et Abdullah Mohammed, un des
poseurs de bombes à Nairobi, avait déposé huit boîtes
contenant de faux documents, dont des passeports, au
bureau kenyan de Mercy. Une autre organisation interdite
par le gouvernement de Nairobi après le drame était
IIRO, l'International Islamic Relief Organisation, dont un
beau-frère de Bin Laden, Muhammad Jamal Khalifa, dirigeait l'antenne aux Philippines qui avait servi à acheminer des fonds destinés au groupe terroriste d'Abu Sayyaf,
lié à Al Qaeda. En janvier 1999, la police indienne déjoua
deux attentats qui visaient les consulats américains à Cal-
cutta et à Madras. L'homme qui avait préparé l'opération
se nommait Sayed Abu Nasri. Ancien employé de l'IIRO,
il avait reçu une formation terroriste dans des camps
en Afghanistan. Comme plusieurs autres organisations
humanitaires saoudiennes, l'IIRO fait partie de la ligue
musulmane mondiale, financée et soutenue par le gouvernement de Riyad. Après le 11 septembre, les responsables
américains épinglèrent également Al Wafa, décrite
comme collaborant à la nébuleuse Bin Laden. Selon un
officiel du ministère de la Justice, « Al Wafa consacrait
peu de temps et peu d'argent aux actions humanitaires
mais d'énormes sommes à l'achat d'armes ».

Un généreux donateur

Certaines de ces organisations saoudiennes entretenaient parfois un lien direct avec la famille Bin Laden.
John O'Neill, le patron du contre-terrorisme au bureau
new-yorkais du FBI, écarté pour excès de zèle en 2001
avant de périr dans les attentats, enquêtait sur les acti-

vités, aux Etats-Unis, de deux frères d'Ousama, Abdullah et Omar, qui dirigeaient l'Assemblée mondiale de la jeunesse musulmane (WAPY). Il reçut l'ordre d'abandonner son enquête et de classer le dossier juste après l'entrée en fonction de George W. Bush. Les enquêteurs du magazine de la BBC, *News Night*, ont pu vérifier que ce document au FBI était classé « secret » et portait le code d'identification 199-Eye WF 213589.

9 est le numéro de code utilisé par le FBI pour les meurtres, 65, celui pour l'espionnage. Le chiffre 199 accompagne les dossiers concernant les menaces sur la sécurité nationale. Abdullah Bin Laden était le président et trésorier de cette organisation considérée par O'Neill et son équipe comme un relais d'Al Qaeda. Elle avait ses bureaux dans une banlieue paisible de Washington, Falls Church, et les deux frères Bin Laden habitaient à proximité. Quatre des pirates de l'air du 11 septembre, pure coïncidence bien sûr, avaient également résidé à quelques pâtés de maisons.

Curieusement, les comptes de l'organisation mondiale de la jeunesse musulmane ne furent pas bloqués en octobre 2001 par les autorités américaines à la différence de 39 groupes et personnes privées dont les avoirs se furent gelés. On retrouvait sur cette liste infamante un puissant homme d'affaires saoudien, Yasin Al Qadi, dont l'empire économique était aussi vaste et diversifié que les nombreuses associations qu'il finançait. En apprenant la nouvelle, son avocat londonien déclara : « Notre client est horrifié et choqué que son nom soit placé sur cette liste [du Trésor américain]. »

De son bureau, au 11e étage d'un immeuble de Djeddah, offrant une vue imprenable sur la mer Rouge, Al Qadi, 45 ans, confia dans une interview : « Rien n'a été transféré à Bin Laden. C'est un non-sens. » Le communiqué officiel américain le mettant en accusation affirmait : « Il dirige la fondation saoudienne Mufawak. Mufawak est une façade d'Al Qaeda qui reçut les financements de riches hommes d'affaires saoudiens. »

Les enquêteurs américains s'intéressaient en fait aux agissements de Yasin Al Qadi depuis plus de dix ans. En juin 1998, le département de la justice avait gelé les avoirs d'une fondation installée à Chicago, l'Institut de littérature coranique, dont l'un des volontaires, Mohamed A. Saleh, vendeur de voitures, avait fait parvenir des fonds au Hamas, considéré par le département d'Etat comme une organisation terroriste. Les éléments produits par le tribunal décrivaient les résultats de l'enquête qui remontaient jusqu'à Al Qadi. En 1991, il avait donné 820 000 dollars provenant d'un compte suisse à cet institut islamique. Pour le « philanthrope » saoudien, cette somme n'était qu'un prêt octroyé au responsable de l'institut pour lui permettre d'« ouvrir un dialogue pacifique entre les civilisations. Les livres que nous aidons à faire publier aideront les Américains à mieux comprendre l'Islam ». Saleh avait été arrêté en janvier 1993 par la police israélienne alors qu'il essayait de franchir le poste de contrôle conduisant à Gaza. Il transportait 100 000 dollars destinés à des cellules du Hamas et les Israéliens trouvèrent 96 400 dollars supplémentaires dans sa chambre d'hôtel de Jérusalem Est. En 1995, il plaida coupable devant un tribunal israélien et reconnut avoir apporté une aide au Hamas, ce qui lui valut d'être placé sur la liste des terroristes dressée par le département du Trésor. Trois ans plus tard, extradé aux Etats-Unis, Saleh revint sur ses aveux. Mais les autorités américaines avaient lancé une procédure sans précédent visant à confisquer 1,4 million de dollars, somme représentant les biens appartenant à Saleh et à l'Institut de littérature coranique. Le prêt de 820 000 dollars consenti par Quadi était englobé dans cette somme.

Plus absurde encore, l'ONU avait financé Muwafak, l'association saoudienne suspectée, dirigée par Al Qadi. Une enquête de la BBC révéla en effet que l'organisation internationale, en 1997, avait fait don de 1,4 million de dollars à un ensemble d'organisations charitables travaillant au Soudan, dont Muwafak. « Nous pensions, confia le responsable de l'enquête, que l'ONU était en mesure d'avoir accès à un certain nombre d'informations émanant des services secrets de ses principaux Etats membres. »

En novembre 2001 le gouvernement turc, à son tour, gela les actifs de deux compagnies d'Istanbul détenues majoritairement par le financier saoudien. L'une d'elles, Caravan Co., s'occupait de commerce et de construction, l'autre de cinéma. Les intérêts d'Al Qadi ne se limitaient pas à ces pays mais s'étendaient également au Kazakhstan, au Pakistan, à la Malaisie, à l'Afrique du Sud et aux Etats-Unis.

Un ancien attaché financier à l'ambassade des Etats-Unis à Riyad, devenu consultant pour les compagnies saoudiennes, estimait que le nom d'Al Qadi placé sur la liste officielle des terroristes conduisait les hommes d'affaires musulmans à quitter les Etats-Unis : « Chacun redoute désormais que son nom soit cité. »

Parmi les avoirs américains, désormais gelés, détenus par Al Qadi, on découvre Global Diamond, une compagnie basée à La Jolla en Californie, spécialisée dans la recherche et l'exploitation des diamants. Fondée en 1994 par Johan de Villiers, elle exploite des mines en Afrique du Sud et vend les diamants directement à des marchands privés.

Le président de Global Diamond rencontra Al Qadi à Londres au cours d'une réunion qui rassemblait le responsable d'une banque d'investissement et quelques

investisseurs du Golfe, dont deux membres de la famille
Bin Laden qui avaient investi dans la compagnie, un an
plus tôt, à hauteur de 10 %. Les opérateurs, sur le marché
du diamant, sont en général extrêmement prudents et
méfiants. Johan de Villiers, le président fondateur de Global Diamond, raconte qu'il accepta l'entrée d'Al Qadi
dans son capital à hauteur de 16 % uniquement parce
qu'il était chaudement recommandé par la famille Bin
Laden. « Ils répondaient de lui », précisa-t-il. A travers
News Diamond Company Limited, une société d'investissement off shore qu'il contrôlait, Al Qadi acquit 9 millions d'actions et 16 % de Global Diamond pour un
montant de 3 millions de dollars. Un investissement qui
allait se révéler peu rentable puisque le cours de l'action
chuta de 70 à 8 cents, réduisant les 3 millions à moins
de 750 000 dollars.

Un sentiment grisant d'impunité

Yasin Al Qadi, connu aussi sous le nom de Yasin
Kahdi et Shaykh Yasin Al Qadi, parle l'anglais avec une
légère pointe d'accent et pour De Villiers, qui se souvient
de l'avoir rencontré à trois ou quatre reprises, toujours à
Londres ou dans les Emirats arabes unis, « il était un
homme très plaisant, très agréable et bien élevé ». Interrogé sur ses liens éventuels avec Al Qaeda, il répondit :
« Le connaissant, j'en doute sérieusement, mais ce serait
un désastre si tel était le cas [1]. »
Décrit comme un financier de la terreur, Al Qadi se
défendit en accordant le 14 octobre 2001 une interview
au quotidien saoudien publié à Londres, *Al Sharq al
Awsat*, dans laquelle il fit deux confidences intéres-

---

1. JCK, Jewelers Circular Keystone, 17.10.2001.

santes : « J'ai parlé longuement avec Dick Cheney et nous sommes devenus amis [...]. Oui, je connais [Ousama] Bin Laden et le vice-président américain est mon ami. » L'évocation dans la même phrase de ses liens avec deux hommes qui incarnent un antagonisme irréductible m'a surpris. Puis j'ai repensé à cette confidence d'un agent du FBI à Washington qui me parlait de la « colère » de certains enquêteurs contraints de « stopper » les enquêtes sur la famille Bin Laden et les élites saoudiennes. Et d'ajouter : « La communauté du renseignement connaît un certain nombre de choses que personne d'autre ne doit savoir. » Encore faudrait-il que tous les enquêteurs aient vraiment envie de les connaître.

Un confrère américain m'a décrit en détail les démarches infructueuses de Michael Wildes, un ancien procureur fédéral, devenu avocat. Il représentait un diplomate saoudien, Mohamed Al Khilewi, qui avait fui son pays en emportant 14 000 documents compromettants, extrêmement détaillés, révélant le soutien apporté par des Saoudiens, dont de nombreux officiels, au financement du terrorisme. Wildes avait pris rendez-vous avec des responsables du FBI qui lui répondirent qu'ils n'étaient pas autorisés à lire ces documents. Nullement découragé, il insista : « Mais prenez-les avec vous, conservez-les, faites-en quelque chose. Utilisez-les pour attraper quelques-uns de ces sales types[1]. » Il s'agit de ses propres mots. Les hommes du FBI renouvelèrent leur refus d'utiliser ces pièces à conviction qui décrivaient notamment comment Saddam Hussein avait reçu 7 milliards de dollars de l'Arabie saoudite pour développer son programme nucléaire et fabriquer une « bombe islamique ».

Dès lors, comment imaginer que les Saoudiens impliqués n'éprouvent pas un sentiment grisant d'impu-

---

1. BBC Newsnight, 11.6.2001.

nité. Aucune menace ne pèse sur eux, bien que personne ne soit dupe. Situation d'un confort absolu. Brassant souvent d'énormes affaires, ils ressemblent, en apparence, à des apatrides culturels plus à l'aise avec les élites new-yorkaises ou londoniennes qu'avec leur propre peuple. Pourtant en réalité, derrière cette apparence, ils haïssent l'Occident.

Je relis le point 1070 du dossier d'inculpation de certains Saoudiens. Il est écrit : « Yasin Al Qadi dirigeait des organisations charitables de 1992 jusqu'aux environs de 1997 en leur apportant 15 à 20 millions de dollars, provenant de sa propre fortune, ainsi que des contributions provenant de riches associés. Des millions de dollars ont été transférés à Ousama Bin Laden à travers Blessed Relief [autre nom donné à la fondation Muwafak]. Un audit émanant du prévenu de la National Commercial Bank d'Arabie saoudite, au milieu des années 70, établissement dirigé par Khalid Bin Mahfouz, révèle le transfert de 3 millions de dollars en faveur d'Ousama Bin Laden, qui sont passés des comptes de riches hommes d'affaires saoudiens à Blessed Relief[1]. » Je vérifie. Yasin Al Qadi figure toujours sur la liste du département du Trésor américain, publiée la première fois le 12 octobre 2001 sous le titre « Liste de 39 terroristes globaux », accompagnée de ce commentaire : « Le bureau de contrôle des actifs étrangers au département du Trésor a ajouté les noms de 39 terroristes à sa liste où sont spécialement désignés les terroristes globaux... Leurs actifs doivent être bloqués immédiatement. »

Un expert financier me confie : « Les avoirs gelés par les autorités américaines ne dépassent pas aujourd'hui 116 millions de dollars, alors qu'une véritable lutte contre

---

1. Extrait tiré de Law About.com Library – HTTP : law-about-com/library/911/besaudi.HTM

le terrorisme impliquerait la saisie d'au moins plusieurs
milliards de dollars. »

L'or du djihad

Aujourd'hui, les moyens utilisés par Al Qaeda pour se
financer sont l'or et les diamants. Cœur de ces opérations,
l'émirat de Dubaï. Une terre de contraste. Dans douze
ans, l'émirat n'aura plus de pétrole mais il sera peut-être
devenu le Singapour du Moyen-Orient. L'homme fort de
ce pays, le cheikh Al Maktoum, 63 ans, exerce un pouvoir absolu sur le destin de ses 735 000 sujets. La nuit
est tombée quand je quitte l'aéroport, mais les paysages
empruntés ressemblent à un immense chantier en activité,
avec des forêts de grues violemment éclairées. Dans le
taxi qui me conduit à mon hôtel du quartier de Jumeirah,
nous longeons le front de mer et j'aperçois sur la droite
le Bay Al Arab, construction délirante de 321 mètres de
haut, l'hôtel le plus luxueux de la planète, érigé sur une
île artificielle et dont la forme évoque la toile des boutres
traditionnels ancrés à proximité. C'est tout le paradoxe
de Dubaï. Des décors *high tech*, 280 nationalités attirées
par la richesse apparente du pays et les possibilités de
travail. Dans certains hôtels, l'ensemble du personnel
vient de l'Etat de Kerala, en Inde ; dans d'autres d'une
province à côté de Manille aux Philippines. Les Ukrai-
niens côtoient les Coréens.

L'émirat fascine et inquiète. Centre international de
contrebande depuis des siècles, Dubaï serait devenu la
plaque tournante pour les opérations d'Al Qaeda. Le
Souk de l'Or, le Sikhat Sikhat El Khail, est une grande
artère recouverte de bois ouvragé, aux piliers marron et
au toit de tôle ondulée peint de la même couleur. « Dubaï : La Cité de l'Or », peut-on lire à l'entrée.

Six cents bijouteries dans ce plus grand souk du monde dont les vitrines et les enseignes mentionnent : « Nous achetons et échangeons de l'or. Nous ne mentionnons ni la chaîne des noms, ni les transactions effectuées. » Il suffit de parcourir ces rues, où souffle un vent chaud et salé venant de la mer, pour comprendre que les hommes derrière les comptoirs de leur magasin sont pratiquement des banquiers. Le système de l'*Hawala* qui permet les échanges de fonds sans mouvement ni passage de frontière rend les transactions impossibles à détecter. Grâce à ce système une personne fournit dans un pays le fonds qui lui sera remboursé dans un autre.

A quelques centaines de mètres, le souk débouche sur Khar Dubaï et Abra, un canal qui coupe la ville en deux et d'où l'on emprunte une navette qui conduit sur l'autre rive. C'est aussi le port où les boutres sont amarrés, coque contre coque. Pour la plupart, ils sillonnent les eaux du Golfe entre les Emirats, et sur l'autre rive de la mer d'Oman, le port pakistanais de Karachi. Des marins dorment sur les ponts de ces navires en bois, aux coques rondes et à l'arrière surélevé.

Les observateurs des mouvements suspects d'Al Qaeda, en poste à Dubaï, évoquent tous l'événement survenu après le déclenchement de l'intervention militaire américaine en Afghanistan. Le consul taliban à Karachi avait été chargé de transférer à Dubaï les fonds de la banque centrale afghane. Des stocks d'or écoulés au rythme de 4 millions de dollars par jour, transportés en partie par ces boutres. Abdoul Razzak, le plus puissant négociant en or de la place, avait alors confié au *Washington Post* : « Si vous avez besoin de 100 kilos d'or, je vous les procure en douze heures. Ce que vous faites ensuite avec ce lot d'or ne me regarde pas[1]. »

1. *Washington Post*, 17.2.2002, par Douglas Farah.

Depuis, ce Pakistanais, considéré comme suspect par l'administration américaine, se tait et fuit les questions. L'agence de relations publiques qui s'occupe désormais de lui répond : « Notre client est un homme très timide et un peu naïf qui s'est fait piéger par les médias américains. Il s'agit de mensonges de la part de joailliers concurrents, jaloux du savoir-faire de sa firme. »

Mon hôtel est un vaste complexe en bord de mer doté de plusieurs restaurants. J'ai choisi le plus proche de l'entrée, un thaïlandais. De la pelouse, j'observe à quelques mètres un défilé étonnant : un flot continu de jeunes gens, tous de type européen, les filles habillées souvent de manière suggestive et provocante qui se dirigent vers un club où l'alcool coule à flots. « Vous pouvez contempler le nouveau Beyrouth », me lance mon interlocuteur qui vient juste d'arriver. La cinquantaine sportive et bronzée, il exerce l'activité de banquier et décrypte pour un service de renseignement européen les mouvements suspects à Dubaï. « Du moins ceux qui sont décelables, ajoute-t-il. Regardez les tables autour de nous, vous apercevez une majorité de Russes. Des nouveaux riches, les produits des privatisations, passés sans transition des rives de la mer Noire à celles de la mer Rouge. Et parmi eux, un nombre respectable de membres de la Mafia. Mais il s'agit déjà du passé. Désormais, l'actualité c'est Al Qaeda, le sujet de toutes les conversations, mais les manœuvres ont commencé en fait avant le 11 septembre. L'organisation avait anticipé le gel, bien modeste, de certains de ses avoirs et s'est tournée vers l'or. A Dubaï, les entrées et sorties du métal jaune sont totalement libres et les grossistes échappent à toute réglementation. Le Cheikh Maktoum, peut-être parce que son film préféré est *Goldfinger*, veut que son émirat contrôle à terme la moitié du marché mondial de l'or... et une large partie de celui des dia-

mants. Et c'est ici que les données deviennent intéres-
santes. L'organisation de Bin Laden se finance également
grâce au trafic de diamants. La hausse des prix indique
souvent une opération de blanchiment de cash. Les diamants sont une alternative parfaite pour Al Qaeda, en ces
temps troublés. Ils ne déclenchent pas d'alarme dans les
aéroports, ne sont pas détectés par les chiens, ils demeurent faciles à conserver et aisément convertibles en
liquide. »

Une question me vient immédiatement à l'esprit, car
je songe aux investissements d'Al Qadi :

— Est-ce que ces diamants proviennent d'Afrique du
Sud ?

— Je ne crois pas. L'essentiel du trafic vient de Sierra
Leone d'où les pierres sont acheminées au Liberia. Le
président du Burkina Faso, Blaise Compaoré, est
impliqué dans ce système de blanchiment, avec l'ancien
homme fort du Liberia, Charles Taylor.

Les « diamants du sang »

Taylor, ancien chef de guerre puis président d'un Liberia, détruit comme la Sierra Leone, par des années de
guerre civile. Taylor, rencontré il y a cinq ans lors d'un
bref séjour qu'il effectuait en Côte d'Ivoire. La caricature
absolue du dictateur africain : sanguinaire, vaniteux, pillant sans relâche les moindres recoins de son pays pourtant misérable. Ce qui frappait en l'écoutant, c'était
d'abord son extrême arrogance. Le système qu'il avait
mis en place avec sa famille et ses proches était celui
d'une véritable entreprise criminelle. Arrivé au pouvoir
en enrôlant dans ses milices des milliers d'enfants soldats
qu'il envoyait au front servir de chair à canon, il s'est
enfui de Monrovia en 2003. Il laissait derrière lui les

caisses du pays vides, ou plutôt vidées, mais selon l'organisme d'enquête Global Witness, basé à Londres, ses comptes numérotés en Suisse abriteraient plus de 4 milliards de dollars.

Le lien entre le diamant, l'Afrique de l'Ouest et le terrorisme islamique est ancien. 120 000 Libanais sont installés en Afrique de l'Ouest et la plupart travaillent dans le commerce d'import-export. Depuis près de vingt ans, le Hezbollah utilise ses relais au sein de la communauté chiite largement représentée en Côte d'Ivoire, Sierra Leone, Burkina Faso et Togo, pour financer ses besoins grâce à la vente clandestine de diamants. Extraits en Sierra Leone par les responsables du RUF, le mouvement rebelle, ces diamants traversaient la frontière du Liberia dans de petits sachets en plastique pour être acheminés jusqu'à Monrovia et stockés dans une maison sous haute surveillance. Là, ils sont échangés contre des mallettes d'argent liquide apportées par des intermédiaires qui viennent d'Anvers trois fois par mois et sont reconduits au pied de leur avion par une escorte spéciale qui leur évite le passage de la douane. En 1999, des experts de l'ONU estimaient à 75 millions de dollars les profits générés par le trafic sur ces « diamants du sang ».

Toutes les informations révèlent que c'est en 1998 que Al Qaeda commença à s'intéresser à cette source de financement. En septembre, Abdullah Ahmed Abdullah, décrit depuis par le FBI comme un des terroristes les plus recherchés, vola à Monrovia. Le lendemain de son arrivée, à bord d'un hélicoptère appartenant aux autorités libériennes, il fut transporté jusqu'à la ville frontalière de Foya où il rencontra l'un des responsables du RUF, le mouvement rebelle de Sierra Leone, qui contrôlait les cours d'eau et les champs d'alluvions d'où étaient extraites les pierres. Abdullah négocia l'achat de diamants sur une base régulière et deux semaines plus tard un autre responsable d'Al Qaeda versa 100 000 dollars correspondant à une première acquisition. L'homme qui effectua la transaction était Ahmed Khalfan Ghailani, un Tanzanien impliqué dans les attentats, la même année, contre les ambassades américaines au Kenya et en Tanzanie. Il a été arrêté en 2004. Le *Washington Post*, dans une enquête de Douglas Farah, publiée le 2 novembre 2001, soulignait que la filière Al Qaeda opérait également depuis Anvers à travers une société fondée en 1998 par deux cousins libanais, Azz Massir et Samy Ossailly. Selon les recherches menées par plusieurs services secrets européens, cette société aurait écoulé pour 20 millions de dollars de diamants exportés illégalement de Sierra Leone par Al Qaeda. Les deux intermédiaires agissaient pour le compte d'Ibrahim Bah, un ancien Sénégalais, autrefois entraîné en Libye et qui servait de revendeur pour les diamants écoulés par le mouvement rebelle de Sierra Leone.

En janvier 2000, selon les informations du *Washington Post*, les trois hommes avaient signé à Monrovia un accord de trois ans. Mais c'est à Dubaï que les intermédiaires libanais auraient mis en place le système permettant de payer en espèces les commissions destinées à Charles Taylor.

Les services secrets américains n'ont jamais utilisé ces informations, qu'il s'agisse du FBI ou de la CIA, alors qu'elles fournissent des pistes précieuses dans la lutte contre les réseaux terroristes.

10 000 grammes d'or pour tuer Kofi Annan

J'avais déjeuné il y a quelques années à Londres avec Harry Oppenheimer dont le groupe sud-africain, Anglo-American, domine le marché mondial de l'or et des diamants. Ce président tout-puissant était un petit homme au regard vif et aux gestes autoritaires qui m'avait déclaré, la moue gourmande : « J'aime l'or et les pierres précieuses parce qu'ils sont les ressorts d'univers paradoxaux, reposant sur la vanité ou la discrétion, l'intégrité ou les pires penchants. »

Dubaï est un lieu en apparence clinquant où les choses importantes se règlent dans le plus grand secret. « Il est évident, confiait Patrick Jost, ancien patron de la brigade antiblanchiment du Trésor américain, qu'une place financière de la taille de Dubaï n'attire pas que des gens décents. On peut y faire toutes sortes de business en toute quiétude. »

Même si aucune preuve flagrante de complicité entre les négociants en or de Dubaï et Al Qaeda n'a pu être trouvée, Ousama Bin Laden s'est rappelé de façon provocante à l'attention, alors même que je séjournais dans l'émirat. Le 8 mai 2004, les journaux locaux rapportaient le contenu d'un message posté sur le site internet http ://www.alsaha.com, fréquemment utilisé par Al Qaeda au Pakistan voisin. Attribué au milliardaire saoudien, il déclarait : « Nous, organisation Al Qaeda, nous offrons une récompense de 10 000 grammes d'or à celui ou ceux qui tueront Paul Bremer [le représentant américain en Irak] ou son adjoint, le commandant des forces américaines ou son adjoint. » Le même montant était offert pour l'assassinat du secrétaire général de l'ONU, Kofi Annan. Dix kilogrammes d'or représentent l'équivalent de 100 000 euros ou 120 000 dollars. Le message offrait également 1 000 grammes pour l'assassinat d'un militaire ou d'un civil américain ou britannique. L'exécution de soldats appartenant à d'autres pays membres de la coalition n'était payée par contre que 500 grammes. Le message détaillé ajoutait que pour des « raisons de sécurité, les récompenses ne seraient remises en main

propre que lorsque l'opportunité la plus rapide se présen-
terait ». Le cas des volontaires, tués après avoir accompli
leur « mission », était également évoqué : « Le martyre
sera pour eux et nous la plus grande des récompenses ;
la plus modeste, l'or, sera remise à leurs héritiers. Si Dieu
le veut. »

Ces manœuvres autour de l'or et du diamant me faisaient à nouveau penser à Yasin Al Qadi. J'ai entre les
mains un rapport émanant de Washington et dressant le
bilan de la coopération entre les Etats-Unis et l'Arabie
saoudite dans la lutte contre le terrorisme. Le texte, daté
du 22 janvier 2004, mentionne à un moment : « Comme
les Etats-Unis, les Saoudiens ont été les victimes d'Al
Qaeda. Ils sont désormais un important partenaire dans
la guerre menée contre le financement du terrorisme et
ils ont pris des mesures importantes et bienvenues pour
combattre ce financement. » Cinq points illustrant ce
combat commun sont ensuite énumérés. Le cinquième et
dernier est ainsi formulé : « L'Arabie saoudite a appuyé
l'ajout du nom du financier du terrorisme, Yasin Al Qadi,
basé à Djeddah, à la liste considérée de l'ONU, publiée
en octobre 2001 [1]. »
Ces lignes reflètent l'ambiguïté de la position américaine : officiellement le royaume saoudien est un allié et
une victime.
Si M. Al Qadi est, aux yeux de Washington, ce coupable évident, pourquoi depuis plus de trois ans aucune
action judiciaire n'a-t-elle été lancée à son encontre ? Les
Américains n'ont pas engagé de procédure d'extradition
ni demandé aux responsables saoudiens sa mise en arrestation. Il vit libre et réclame régulièrement, par la voix
de ses avocats, la levée du gel sur ses avoirs.

---

1. Treasury Department, 22.1.2004, JS-1108.

La réponse est peut-être à chercher à Quincy dans le Massachusetts. Le 5 décembre 2002, le FBI perquisitionne au siège de P Tech, une société de haute technologie particulièrement innovante, dont elle est par ailleurs un des principaux clients, ce qui rend le dossier encore plus sensible.

Selon un communiqué de la firme diffusé en octobre 2001, son nouveau software, Framework 6.0 Technolog, « aide à répondre aux menaces ou aux changements du marché avec une rapidité sans précédent ». P Tech possédait deux caractéristiques : son principal actionnaire se trouve être Yasin Al Qadi et elle a pour clients les plus grandes firmes privées, mais surtout les agences et ministères fédéraux américains, collectant et détenant toutes les informations relevant de la sécurité nationale : le FBI, l'IRS (le département des impôts), le ministère de l'Energie, la Chambre des représentants, le service des postes, le NAVAIR (The Naval Air Systems Command), ainsi que la FAA (l'administration de l'aviation fédérale) et l'OTAN ; l'éventail large et parfait dont pourrait rêver une organisation terroriste pour accéder aux informations les plus secrètes sur ses adversaires.

Au lendemain de la perquisition, le procureur Michael Sullivan, qui gère le dossier, fit publier le communiqué suivant : « Etant donné le statut de P Tech, fournisseur de software pour des agences gouvernementales américaines, des questions ont été soulevées concernant leurs produits. Tous les matériels fournis au gouvernement étaient de nature non confidentielle. Cependant, par précaution supplémentaire, les agences concernées, y compris le FBI, effectuent des vérifications de leurs systèmes informatiques. Il n'y a aucune raison de croire que ce software possédait un objectif secondaire ou un code malveillant, ou qu'il ait permis d'opérer une brèche quelconque. Aucune fragilité ou faiblesse découlant des produits fournis par P Tech n'a été identifiée. Il n'existe enfin aucune évidence qui permette de suggérer que ce système soit susceptible de compromettre la sécurité existante. »

La France n'est plus un allié

Cette mise au point révélait l'embarras des autorités. Un homme accusé officiellement de financer Al Qaeda contrôlait une société de haute technologie dont les produits étaient utilisés par l'ensemble du système de défense et de sécurité américain. Même aux pires moments de l'affrontement Est-Ouest, lorsque les Soviétiques s'efforçaient d'obtenir par tous les moyens la technologie de pointe, le danger n'était pas aussi grand.

Je me rappelle le spectacle qu'offrait la Silicon Valley au milieu des années 80. Dans cette zone proche de San Francisco où des milliards de dollars étaient prêts à s'investir et où une entreprise nouvelle se créait chaque semaine, j'assistai à une surenchère suicidaire : avant de vaincre un hypothétique adversaire idéologique, il fallait d'abord devancer un concurrent immédiat, donc séduire les acheteurs potentiels. D'où cette sidérante débauche de publicité, révélant les détails les plus intimes d'armes secrètes, ainsi condamnées à tomber entre les mains ennemies. Plutôt que d'admettre cette réalité, l'administration Reagan préférait faire porter la responsabilité des ventes ou transferts illégaux de technologie sur ses alliés, accusés de laxisme. Et notamment déjà sur la France. L'histoire ressert souvent le même plat mitonné par le même cuisinier. Un homme à l'époque m'expliquait que les pays européens étaient de véritables passoires, fermant les yeux sur les trafics de technologie à destination des pays communistes. Il se nommait Richard

Perle. L'actuel chef de file des néo-conservateurs était à l'époque ministre adjoint de la Défense et il m'avait confié : « Tout le monde est convaincu, avec le régime que vous avez, que l'on retrouvera bientôt à l'Est les produits vendus à la France. L'Union soviétique, c'est sans surprise, a toujours été un adversaire. Mais, désolé, désormais on redoute que la France ne soit plus un allié. » Des propos d'une étonnante actualité.

Mais si la partition jouée par ces hommes ne change pas, la configuration est différente. L'URSS et le KGB n'avaient jamais réussi la performance qui pourrait être celle aujourd'hui d'Al Qaeda : prendre le plus légalement du monde le contrôle de sociétés qui leur fourniraient un accès aux secrets les plus vitaux. Comment expliquer qu'aucune enquête n'ait été conduite sur l'origine des actionnaires qui ont investi dans ces firmes *ultra sensibles* ? Les enquêteurs du FBI auraient dû lire John Le Carré qui affirmait : « Pour comprendre la réalité des problèmes, suivez l'argent. »

Un officiel américain, lié à l'enquête sur P Tech, confia, à condition de ne pas être nommé, qu'un « corps de preuves » (*a body of evidence*) sur les liens possibles entre la compagnie et Al Qaeda avait été transmis au conseil national de sécurité de la Maison Blanche. D'où l'enquête lancée pour savoir où les software étaient placés et, plus important, si des codes malveillants (*malicious*) y étaient insérés. Ce responsable ajouta que l'enquête à laquelle P Tech était soumise ne constituait pas une démarche isolée et qu'il existait une inquiétude croissante quant aux liens possibles qui pourraient exister entre firmes américaines de haute technologie et financiers du terrorisme.

Les enquêteurs avaient cependant soigneusement dissimulé le fait le plus inquiétant. P Tech comptait parmi ses clients le ministère de l'Energie et travaillait sur le site de Rocky Flats au nettoyage du plutonium utilisé pour le développement des armes nucléaires.

John Trulock, ancien directeur du renseignement au ministère de l'Energie, déclara qu'il ne serait pas surpris de découvrir qu'une compagnie servant de façade à Al Qaeda ait infiltré le programme nucléaire américain.

Le cas P Tech révélait une autre lacune. Selon *Newsweek*, des employés de la firme avaient tenté, dès octobre 2001 puis au milieu de l'année 2002, d'alerter le FBI pour lui faire part de leurs propres soupçons sur le propriétaire de la firme, Yasin Al Qadi. Le bureau fédéral n'avait pas répondu, alors même que P Tech négociait avec quelques-unes des plus grandes banques américaines l'installation d'un système destiné à détecter le blanchiment d'argent terroriste, et que son propriétaire, frappé par l'International Emergency Economic Powers Act, se trouvait depuis plusieurs mois officiellement qualifié par l'administration Bush de « terroriste financier ».

La Maison Blanche sur écoutes israéliennes

Il était un peu plus de 23 heures en ce jour d'août et Ariel Sharon écoutait en hochant la tête le message que son collaborateur, entré précipitamment dans son bureau, venait de lui chuchoter à l'oreille.

— Désolé, m'avait-il dit, mais le docteur Condoleeza Rice souhaite me parler au téléphone.

L'entretien abrégé, la porte coulissante de son bureau refermée, je m'étais retrouvé dans le salon en compagnie de plusieurs de ses collaborateurs. Sharon m'avait décrit la situation que vivait Israël comme une nouvelle étape de la guerre d'indépendance de 1948. Nous étions à la résidence officielle du Premier ministre israélien, à Jérusalem, et l'un de ses proches m'accompagna à mon hôtel, situé à proximité. Je lui ai alors demandé : « Pourquoi Israël espionne-t-il les Etats-Unis ? » Il a paru outragé par ma question, puis m'a répondu sèchement : « Espionner l'Amérique est hors de question. » Il semblait en avoir fini puis, après un silence qui a duré près d'une minute où il réfléchissait probablement aux raisons de ma question, il a ajouté : « Le Mossad, puisque c'est à lui que vous pensez, a interdiction de conduire des opérations de surveillance illicites sur le territoire des Etats-Unis. » Il l'affirmait avec cette conviction que l'on apporte aux démentis, sans savoir à quoi je me référais. Je pensais à des événements anciens et récents dont j'avais eu connaissance et qui prouvaient qu'Israël avait pris pour cible la Maison Blanche et réussi à intercepter les conversations des présidents américains et de leurs plus proches collaborateurs. A quatre reprises au moins.

La première fois, ce fut en 1974, juste après l'entrée en fonction de Gerald Ford qui venait de succéder à Nixon, destitué après le Watergate. Il s'agissait de connaître les intentions du nouveau président sur le projet de vente d'avions Awacs (appareils d'écoute et de reconnaissance) à l'Arabie saoudite, une décision qui aurait permis au royaume de surveiller les moindres mouvements de l'aviation israélienne. La deuxième intervention eut lieu quatre ans plus tard, en 1978, et elle visait cette fois non pas le président mais son plus proche conseiller, Zbigniev Brzezinski, le chef du Conseil national de sécurité de la Maison Blanche, considéré comme ayant des positions anti-israéliennes. La troisième obéissait à une démarche identique : écouter les communications de James Baker, le secrétaire d'Etat de George Bush, connu pour ses opinions et ses amitiés arabes, notamment avec les dirigeants saoudiens. Ce ne fut pas seulement le Département d'Etat où officiait Baker qui fut placé sur écoute mais aussi la Maison Blanche où ses conversations avec Bush étaient captées.

La dernière intervention connue eut lieu en 1998, alors que Benjamin Netanyahou était Premier ministre. Il s'agissait de pirater les ordinateurs de la Maison Blanche et d'écouter les conversations de Bill Clinton. L'opération intervenait à un moment où les nuages s'amoncelaient sur le processus de paix iraélo-palestinien. Techniquement, elle fut d'une grande virtuosité. Les services secrets israéliens infiltrèrent Telrad, une compagnie qui travaillait avec Nortel, le géant des télécommunications, et Bell Atlantic au développement d'un nouveau système de communication pour la Maison Blanche. Hasard opportun, Telrad et Nortel avaient décroché un contrat de 33 millions de dollars pour remplacer les équipements en communication des forces aériennes israéliennes. Les experts militaires de l'Etat hébreu purent ainsi avoir accès aux zones de fabrication des produits au sein des deux firmes et insérer dans les systèmes des puces pratiquement indétectables qui permettaient de placer sur écoute les flots de communications provenant de la Maison Blanche.

Les agents israéliens pirataient ces communications en utilisant les services d'une compagnie de software installée dans le Missouri, filiale d'une société israélienne. Cette opération d'espionnage survenait en pleine *liaison* entre Bill Clinton et Monica Lewinsky, et lors de son audition le 29 mars 1997 devant le procureur Kenneth Starr, la jeune fille confia, selon le rapport, que le président américain « soupçonnait qu'une ambassade étrangère écoutait ses appels téléphoniques et il proposait [à Monica] une totale clandestinité. Si jamais elle était interrogée, elle devait répondre qu'ils étaient juste amis, et si on évoquait leurs conversations sexuelles au téléphone, elle devait dire qu'ils savaient l'un et l'autre que les appels étaient sur écoute et que ces échanges sur le sexe étaient juste un jeu ».

Selon les enquêteurs, le dispositif mis en place par les Israéliens permettait de transférer les conversations de la Maison Blanche pratiquement en temps réel à Tel Aviv. L'homme qui coordonnait toute l'opération, un homme d'affaires israélien, travaillait pour Amdocs, une compagnie de téléphone israélienne implantée à Washington. Il était marié à une diplomate israélienne, identifiée comme un agent du Mossad. Quand le FBI perquisitionna au bureau de l'homme d'affaires, il découvrit avec stupéfaction un livre contenant les numéros de téléphone les plus sensibles et les plus secrets du Bureau fédéral, notamment les *lignes noires* utilisées pour les écoutes. Certains des numéros consignés sur cette liste étaient ceux dont le FBI se servait justement pour surveiller d'éventuelles opérations d'espionnage israélien. Le chassé traquait le chasseur, et le FBI devait admettre cette quasi-évidence : une taupe israélienne travaillait dans ses services.

Kadhafi, un idiot utile

« Les Israéliens pratiquent le renseignement comme ils livrent une guerre. C'est quelque chose que vous devez admettre. » Je me rappelle cette confidence de Meier Amit qui avait dirigé le Mossad pendant six ans. « Les Américains ont une approche plus détendue du renseignement, mais l'existence d'Israël est menacée et nous nous considérons en état de guerre permanent. »

Amit m'avait fixé rendez-vous dans une banlieue de Tel-Aviv et le taxi m'avait déposé devant une petite maison, dans une rue tranquille. J'avais sonné, une femme âgée était venue m'ouvrir sans m'adresser la parole, puis était retournée s'asseoir derrière sa machine à écrire. L'habitation était totalement vide, dépourvue du moindre meuble à l'exception des deux bureaux qui se faisaient face, ceux d'Amit et sa secrétaire. C'était un vieil homme au regard vif et aux gestes lents qui m'avait demandé, au terme de l'entretien : « Allez-vous souvent dans les pays arabes ? »

Je lui avais répondu :

— Je reviens de Libye où j'ai rencontré le colonel Kadhafi.

Amit s'était fendu d'un large sourire, comme si je

venais de proférer une excellente plaisanterie, sans rien ajouter. Quelques heures plus tard, alors que le soir tombait, nous marchions au milieu de murs en marbre blanc sur lesquels des noms étaient gravés en hébreu. Il s'agissait du mémorial dédié aux agents du Mossad tombés en mission et il avait insisté pour me le faire visiter. Il s'est tourné vers moi, reprenant le fil interrompu de la conversation.

— Kadhafi nous doit probablement la vie. A deux reprises, nous avons été informés que des officiers au sein de son armée se préparaient à le renverser... et nous l'avons prévenu.

La confidence était formulée sur le ton de l'évidence. Pour paraphraser la formule de Lénine, Kadhafi est pour Israël un « idiot utile ».

« Les Israéliens pratiquent le renseignement comme ils livrent la guerre. » J'ai repensé à cette phrase en avançant dans mon enquête. Le 11 septembre me fait penser à la formule de Churchill qui affirmait que « la vérité est une chose trop importante pour ne pas être protégée par des mensonges ».

Officiellement, Israël n'a jamais espionné son grand allié américain. Pourtant, récemment, dans deux rapports, l'un réalisé par le GAO (General Accountability Office), le département des audits financiers au Congrès, l'autre par la DIA (Defence Intelligence Agency), les services secrets militaires mettaient en garde contre les activités d'espionnage militaire et économique menées par Israël aux Etats-Unis. Dans celui du GAO, où Israël est désigné comme le pays A, il est écrit : « Selon une agence de renseignement américaine, le gouvernement du pays A conduit contre les Etats-Unis les opérations d'espionnage les plus agressives menées par un pays allié. » La DIA déclare de son côté : « Les Israéliens sont motivés par des forts instincts de survie qui dictent chaque facette de leurs stratégies politiques et économiques. Cela conduit à collecter agressivement la technologie militaire et industrielle, et les Etats-Unis sont une cible hautement prioritaire. »

Selon Carl Cameron, l'enquêteur vedette de la chaîne télévisée Fox News, « le quartier général de la NSA, l'agence de renseignement la plus secrète, dont le quartier général est dans le Maryland, a transmis en 1999 un rapport TS/SCI (*Top Secret Sensitive Compartimentalized Information*) avertissant que des enregistrements de communications téléphoniques passaient entre des mains étrangères, en particulier Israël ».

Espionner ses alliés

La firme visée : Amdocs, une société israélienne de télécommunication, qui possède des contrats avec les vingt-cinq plus grandes compagnies de téléphone américaines. Pratiquement chaque appel et facturation effectués aux Etats-Unis sont traités en Israël par Amdocs. Selon Cameron, Amdocs a aidé en 1997 Bell Atlantic à installer de nouvelles lignes téléphoniques à la Maison Blanche et utilisé son antenne de Chesterfield, dans le Missouri, d'où elle aurait espionné le président Clinton.

Cameron relève d'autres faits troublants : avant le 11 septembre, 140 jeunes citoyens israéliens ont été détenus ou arrêtés pour espionnage. Après le 11 septembre, 60 autres sont également arrêtés pour les mêmes motifs. Le 5 mars, *Le Monde* reprend les informations de Guillaume Dasquié, rédacteur en chef d'*Intelligence On Line*, qui affirme détenir un rapport confidentiel confirmant l'existence d'un réseau d'espionnage israélien. Selon *Le Monde*, il s'agit « d'une centaine d'agents israéliens, certains se présentant comme étudiants aux beaux-arts, d'autres étant liés à des sociétés high-tech israéliennes. Tous ont été interpellés par les autorités, interrogés, et une douzaine d'entre eux seraient encore incarcérés. L'une de leurs missions aurait été de pister les terroristes d'Al Qaeda sur le territoire américain, sans pour autant en avertir les autorités fédérales. Des éléments de cette enquête, repris par la télévision américaine Fox News, renforcent la thèse selon laquelle Israël n'aurait pas transmis tous les éléments en sa possession sur les préparatifs des attentats du 11 septembre... Interrogé par *Le Monde*, Will Glaspy, du département des relations publiques de la DEA (l'agence de lutte anti-drogue), a authentifié ce rapport dont la DEA détient une copie... « Beaucoup des *étudiants en art plastique*, soupçonnés d'activités illicites, ont un passé militaire dans le renseignement ou des unités de technologie de pointe... Plusieurs sont liés aux sociétés high-tech israéliennes Amdocs, Nice et Retalix. Interpellée, une étudiante a vu sa caution de 10 000 dollars payée par un Israélien travaillant chez Amdocs. »

D'après Carl Cameron, un mémo interne d'Amdocs destiné aux responsables de la firme suggère la manière dont les appels obtenus pourraient être utilisés : « Informations répandues, techniques d'exploitation et algorithmes... combinant les caractéristiques du consommateur (taux de crédit par exemple) avec celles du "comportement spécifique". » Le mémo d'Amdocs affirmait que cette méthode devait être utilisée pour éviter les fraudes téléphoniques mais, poursuit Cameron, les analystes du contre-espionnage estiment qu'elle pouvait aussi être utilisée pour espionner les communications téléphoniques. « Fox News, ajouta-t-il, a appris que la NSA a tenu plusieurs conférences secrètes pour mettre en garde le FBI et la CIA sur la manière dont les enregistrements d'Amdocs pouvaient être utilisés. Au cours de l'un de ces briefings, la NSA présenta un diagramme élaboré par le laboratoire Argon qui montrait que si les enregistrements téléphoniques n'étaient pas protégés, des brèches majeures dans la sécurité étaient possibles. »

Selon une autre conférence de la NSA, « ces vulnérabilités vont en s'accroissant parce que les Etats-Unis dépendent beaucoup trop de compagnies étrangères comme Amdocs pour son équipement high-tech et son software. De nombreux facteurs ont conduit à accroître notre dépendance en matière de codes confidentiels qui sont élaborés à l'étranger... Nous achetons plutôt que de nous entraîner ou développer des solutions. »

Dans le troisième volet de son enquête, Cameron évoquait le cas encore plus étonnant d'une autre société israélienne, Comverse Infosys, une division de Comverse Technology, une compagnie cotée au Standard and Poors et au Nasdaq et qui avait acquis une position dominante dans le secteur des télécommunications. Comverse Infosys possédait plusieurs bureaux aux Etats-Unis mais surtout des clients extrêmement bien ciblés. Elle fournissait du matériel d'enregistrement aux agences américaines chargées de mener des enquêtes et de faire respecter la loi. Elle a notamment mis au point pour le FBI un système permettant d'enregistrer et de conserver pratiquement toutes les conversations téléphoniques passant à travers les centraux et les routeurs.

Depuis 1994 et le vote de la législation, CALEA (Communication Assistance for Law Enforcement Act) qui, pour certains juristes, a facilité l'activité des réseaux d'espionnage, les fabricants comme Comverse ont un accès constant aux parcs d'ordinateurs des agences avec lesquelles ils coopèrent.

Le 18 octobre 2001, des officiels de quinze Etats, dans une lettre commune adressée conjointement au ministre de la Justice, John Aschcroft, et au directeur du FBI,

Robert Mueller, ont averti que « les capacités en matière de surveillance électronique sont moins importantes aujourd'hui qu'au moment où CALEA avait été voté ». Et d'ajouter : « L'inquiétude tient au fait que les programmes informatiques d'enregistrement des conversations, élaborés par Comverse, possèdent une "porte arrière" à travers laquelle les enregistrements eux-mêmes peuvent être interceptés par des éléments non autorisés. »

S'ajoute à ces suspicions le fait que Comverse travaille étroitement avec le gouvernement israélien et que certains des programmes d'écoute qu'il élabore sont financés à 50 % par le ministère israélien de l'Industrie et du Commerce. Mais les enquêteurs ont déclaré à Fox News que suggérer qu'Israël se livre à des activités d'espionnage à travers Comverse équivaut à « un suicide professionnel ».

Enfin, conclut Cameron, les enquêteurs, plus particulièrement à New York, au cours des enquêtes menées par le contre-terrorisme à propos des attaques du 11 septembre, furent intrigués en constatant que dans un certain nombre de cas, des suspects qu'ils filaient changèrent immédiatement leurs méthodes et leurs habitudes de communication. Au moment même où des écoutes venaient d'être posées pour les surveiller.

Les silences du Mossad

Un rapport du FBI soulevait un autre coin du voile : « Les terroristes arabes du 11 septembre et des cellules terroristes suspectes à Phoenix, Arizona, aussi bien qu'à Miami et Hollywood, en Floride, de décembre 2000 à avril 2001, se trouvaient en proximité directe avec les groupes d'espions israéliens. » Selon le magazine allemand *Die Zeit*, les agents du Mossad étaient notamment intéressés par Mohamed Atta et son principal complice, Marwan Al Shehri. Tous deux vivaient à Hambourg avant de s'installer en Floride, à Hollywood. Une équipe du Mossad était dans la même ville. Son chef, Hanan Serfati, avait loué plusieurs appartements. L'un d'eux se trouvait au coin de 701 Street et de la 21e Avenue, tout près de l'appartement des deux terroristes présumés. Atta habita également au 3389 Sheridan Street, toujours à Hollywood. Plusieurs Israéliens résidaient à proximité, au numéro 4220. Ces agents avaient découvert qu'Atta et Marwan Al Shehri prenaient des leçons de pilotage et l'information aurait été transmise aux autorités américaines.

L'ambassadeur d'Israël aux Etats-Unis, Danny Ayalon, démentit évidemment sur les antennes de la radio de l'armée qu'il y ait eu des agents du Mossad opérant aux Etats-Unis. Pourtant, les hommes qui filaient les deux suspects ne possédaient guère le profil des étudiants classiques : anciens des forces spéciales, ils étaient pour la plupart spécialistes en interception électronique et experts en explosifs. Selon l'enquête menée par la DEA, ils « fonctionnaient en plusieurs cellules de quatre à six personnes chacune ».

Il est confortable d'écarter les questions embarrassantes mais il en est une qu'il est indispensable de poser : Israël était-il au courant des préparatifs du 11 septembre ?

Je sais que le Mossad, en août 2001, avait averti ses homologues américains de l'imminence d'une attaque, fournissant même les noms de certains des terroristes, mais il avait précisé que l'opération devait se dérouler « hors du territoire américain ».

Cameron, le journaliste de Fox News à l'origine de ces controverses, a interrogé « une source haut placée », dont il n'a jamais révélé l'identité, qui lui a répondu : « La

preuve liant ces Israéliens au 11 septembre est confidentielle. Je ne peux rien vous dire sur les preuves qui ont
été recueillies. » Mais cette « source » ajoute : « L'indice
est clairement qu'ils ont obtenu des informations sur la
préparation des attaques mais qu'ils les ont conservées
pour eux-mêmes. »

L'accusation est-elle fondée ? On ne peut l'affirmer en
l'état mais je repense à la gêne éprouvée en regardant un
soir à Londres, sur la BBC, au début de mars 2003, une
interview de Dan Rather. Le présentateur vedette de CBS
paraissait mal à l'aise, vieilli et il confessait : « C'est une
comparaison obscène mais il fut un temps en Afrique du
Sud où l'on plaçait des pneus enflammés autour du cou
des gens s'ils étaient en désaccord. D'une certaine
manière, la peur est ce qui vous enserre le cou. Aujour-
d'hui, pour manque de patriotisme, vous aurez un pneu
enflammé placé autour du cou. C'est cette peur qui
empêche les journalistes de poser les plus dures parmi les
questions dures et la raison pour laquelle ils continuent à
supporter ça. » Rather évoquait le comportement de la
presse après le 11 septembre, la crainte des journalistes
de voir leur carrière compromise.

Carl Cameron, lui, a transgressé cette règle sacro-
sainte, en plus sur Fox News, une chaîne possédée par le
magnat Rupert Murdoch, ami de la famille Bush. En mars
2002, Fox retira de ses archives en ligne la transcription
de ses quatre reportages sur l'espionnage israélien aux
Etats-Unis. « This story no longer exists » (ce reportage
n'existe plus), pouvait-on lire désormais à la place, avant
que le texte ne réapparaisse partiellement sur le site.

La presse américaine dans sa presque totalité avait
conservé un silence inexplicable sur les déclarations de
Cameron et sur une enquête d'*Insight*, le supplément du
Washington Times, publié un an plus tôt, qui révélait que
la Maison Blanche avait été espionnée. Ni le *New York*

Times ni le *Washington Post* ne s'en étaient fait l'écho. Par contre, les principaux quotidiens israéliens développèrent, de façon factuelle et impartiale, ces informations, sans omettre aucun détail, évoquant les soupçons pesant sur Amdocs et Comverse.

« Nous ne sommes pas votre problème »

Le 11 septembre, toujours en Israël, survint un événement insolite. Au siège d'Odigo, installé à Herzlyya, une banlieue de Tel-Aviv qui abrite, à proximité, le centre d'étude sur le contre-terrorisme lié au Mossad.

Cette société spécialisée dans les e-mails et les serveurs de messages possède une technologie informatique achetée par des centaines de portails et de fournisseurs aux Etats-Unis. Selon *Haaretz*, « deux de ses employés reçurent des messages, deux heures avant que les Twin Towers ne soient frappées, prédisant que les attaques allaient arriver... Micha Macover, le président de la compagnie, confirma que les deux employés avaient reçu les messages et immédiatement après les attentats prévinrent les responsables qui contactèrent immédiatement les services israéliens de sécurité qui transmirent au FBI ».

Odigo, ajoute l'article, « protège habituellement sévèrement la confidentialité de ses utilisateurs mais selon Macover, dans ce cas, la compagnie a pris l'initiative de fournir aux enquêteurs l'adresse internet du message, ainsi le FBI pourra remonter jusqu'au portail et à l'expéditeur ». (L'article d'*Haaretz* que je mentionne date du 23 mars 2004.) Le vice-président américain d'Odigo, Alex Diamantis, déclara que le message « pouvait être décrit comme une menace, un avertissement ». Les bureaux américains d'Odigo étaient situés à quatre blocs du site du World Trade Center.

Une habitante du New Jersey contemplant le drame à la jumelle remarqua trois jeunes hommes agenouillés sur le toit d'un van blanc. Ils se prenaient en photo avec les tours en flammes à l'arrière-plan, et ce qui frappa le témoin, c'était leurs expressions : « Ils paraissaient heureux, confia-t-elle à la chaîne de télévision ABC, et nullement choqués. Je trouvais ça étrange. » Elle releva le numéro du véhicule et téléphona à la police qui lança un avis de recherche. Le van portant le nom d'une société de déménagement, Urban Moving, fut localisé à 16 heures près d'un stadium du New Jersey. Les policiers qui encerclèrent le véhicule trouvèrent cinq hommes à l'intérieur, âgés de 22 à 27 ans. L'un d'eux dissimulait 4 700 dollars dans ses chaussettes, un autre était détenteur de deux passeports étrangers. Une boîte contenant des cutters fut trouvée à l'intérieur du véhicule, ainsi que des photos récentes qui les montraient avec à l'arrière-plan les ruines fumantes des tours. Sur un cliché, un des suspects tenait, joyeux, un briquet allumé à la main, comme dans un concert pop, juste en face des décombres. L'un d'eux confia qu'ils se trouvaient sur l'autoroute Ouest de Manhattan « durant l'incident », terme qu'il utilisa pour qualifier les attentats contre les tours. Mais une surprise plus grande encore attendait les enquêteurs : le conducteur du véhicule, Sivan Kurzberg, leur déclara : « Nous sommes israéliens. Nous ne sommes pas votre problème. Vos problèmes sont nos problèmes. Les Palestiniens sont le problème [1]. »

Les hommes furent placés en détention et leur cas transféré à la division criminelle du FBI et dans les mains de la section étrangers du contre-espionnage.

Le FBI perquisitionna au siège de la compagnie Urban Moving, située dans le New Jersey, dont le propriétaire

1. ABC News, le 24 juin 2002.

s'enfuit en Israël après son interrogatoire. Un employé confia à des journalistes que ses collègues avaient ri en apprenant les attaques du 11 septembre : « J'étais en pleurs, avoua cet homme. Ces types plaisantaient et ça me perturbait. Ils déclaraient : "Maintenant, l'Amérique sait ce que nous traversons." »

Les recherches effectuées par les enquêteurs à partir de leur banque de données révélèrent que plusieurs des Israéliens interpellés dans le van travaillaient pour le Mossad et ils soupçonnaient Urban Moving de servir de couverture pour des opérations d'écoute et de surveillance contre des réseaux islamistes radicaux, recueillant des fonds pour le Hamas et le Djihad islamique.

Deux semaines après leur arrestation, les cinq Israéliens étaient toujours en détention mais le juge décida qu'ils devaient être expulsés. La CIA réussit à faire suspendre cette décision et à les maintenir en isolement pendant deux mois supplémentaires. Le quotidien *Haaretz*, indigné, évoqua dans son édition du 17 septembre leur comportement « fêtant et tournant en ridicule » l'effondrement des tours, suivi le 26 octobre par le *Jerusalem Post*. Leur avocat plaidait que leur comportement était « offensant mais nullement criminel ».

Le *Forward*, un organe de presse juif new-yorkais et très respecté, révéla en mars 2002 qu'il avait reçu des informations émanant d'un officiel américain qui suivait les développements de l'enquête : « Urban Moving est une couverture pour les opérations du Mossad... La conclusion du FBI est qu'ils [les cinq hommes] espionnaient des Arabes locaux, qu'ils ont été relâchés parce que n'ayant rien à voir avec les événements du 11 septembre. »

Bin Laden, voyageur tranquille

Si l'Histoire est une somme de vérités réécrites, les six cents pages du rapport final de la commission d'enquête en sont la démonstration.

J'ai découvert, comme chaque lecteur, qu'Ousama Bin Laden était considéré depuis 1996 comme la plus importante menace terroriste planant sur les intérêts américains. Traqué sans relâche par les agences de renseignement et un président, Bill Clinton, qui avait donné l'ordre de l'abattre si on ne pouvait le capturer, le chef d'Al Qaeda, confronté à tant de moyens et de détermination, n'aurait jamais dû passer entre les mailles des filets ainsi tendus. Paradoxalement, les filets n'étaient pas tendus et le chef terroriste a pu s'enfuir aisément. Deux exemples accablants l'illustrent.

Le 15 mars 1996, le ministre soudanais des Affaires étrangères informe l'ambassadeur américain à Khartoum, Thimoty Carney, que les autorités saoudiennes ont demandé à Ousama Bin Laden de quitter leur pays, ce qu'il s'apprête à faire. Le message est clair : « Il est à vous si vous le souhaitez. » Mais justement, les responsables américains n'en veulent pas. Le FBI, consulté, estime qu'il n'existe pas assez de preuves pour l'inculper et s'oppose à son extradition aux Etats-Unis.

Pourquoi Bill Clinton fait-il volte-face ?

Trois jours plus tard, le 18 mai 1996, un C130 se prépare à quitter Khartoum avec à son bord 150 personnes dont Bin Laden, ses femmes, ses enfants et ses proches collaborateurs. Destination : Jalalabad, la grande ville du nord-est de l'Afghanistan. L'appareil doit effectuer un ravitaillement au Qatar. Le minuscule émirat qui cultive une subtile ambiguïté prévient cette fois son allié américain. Il refusera l'atterrissage de l'avion, à moins que Washington ne donne son feu vert. Celui-ci parviendra moins d'une heure plus tard : inutile de retarder l'avion, il est autorisé à poursuivre sa route vers l'Afghanistan.

C'est la première chose à laquelle j'ai songé le 13 mai 2004 en me posant sur le minuscule aéroport de Doha en provenance de Dubaï. Une Mercedes noire et un collaborateur de l'émir, en costume traditionnel, m'attendaient pour me conduire au salon d'honneur situé... à cinquante mètres de la passerelle de l'avion. Ousama Bin Laden avait-il eu droit au même traitement ? L'avait-on autorisé à sortir de la carlingue chauffée à blanc par le soleil pour se reposer dans un des fauteuils confortables meublant les salons ? Deux pièces spacieuses, l'une pour les hommes, l'autre pour les femmes, auxquelles on accède en montant quatre petites marches. J'ai demandé si ce salon existait déjà en 1996. Le jeune secrétaire a paru étonné de ma question, s'est renseigné puis m'a répondu qu'en effet il était déjà construit.

Un vent fort balaye la piste et fait tourbillonner le sable. Bin Laden a fait escale pratiquement à la même période.

Au fond, comme Mao Tsé-toung, le chef terroriste effectue sa longue marche. Il a choisi le Soudan non pas par hasard. Les Bin Laden appartiennent au clan yéménite des Hadramis, installés depuis des siècles dans la région d'Hadramut. Ces Bédouins sont des pêcheurs dont les navires sillonnent les mers de la région depuis le Moyen Age. De tout temps, ils ont connu l'Afrique, même le Soudan, ce pays immense et vide, totalement enclavé. Comme l'écrit dans un article brillant, publié par *Asia Times*, Pepe Escobar : « Comme avec le Guanxi chinois, l'essentiel chez Al Qaeda se ramène à ses connexions. » Le Soudan était l'une d'entre elles, l'Afghanistan en constitue une autre. Ce départ pour Bin Laden n'est pas une défaite mais seulement une étape dans sa lutte pour un *djihad* planétaire.

Massoud accueille Bin Laden

Etrange Etat que le Qatar où son avion s'est posé. Un territoire minuscule, une population dérisoire et un sous-sol pétrolier... et gazier qui représente un véritable scandale géologique.

Les dirigeants de Doha, la capitale qui est aussi la seule ville du pays, sont conscients de se trouver sur la plus fragile des plaques tectoniques, dans une zone politiquement à haut potentiel sismique. L'Arabie saoudite est à ses frontières, l'Iran, le Pakistan, et à l'arrière-plan l'Afghanistan de l'autre côté du détroit d'Ormuz.

Il faut environ deux heures en avion, peut-être plus avec un C130 lent et chargé, pour aller du Qatar à Jalalabad. Lorsque l'appareil ce 18 mai 1996 s'est posé sur la piste bosselée, Bin Laden a pu apercevoir, sur la gauche de l'appareil, les sommets enneigés de la chaîne montagneuse qui trace la frontière entre l'Afghanistan et le Pakistan. La zone où il s'enfuira cinq ans plus tard, en novembre 2001, après avoir quitté Tora Bora.

Ce jour de 1996 marquait pour l'Amérique, sans qu'elle le sache, le début du compte à rebours qui allait mener au 11 septembre.

L'aéroport est un minuscule bâtiment aux couleurs blanches et jaunes délavées dont l'entrée est protégée par des sacs de sable et des gardes armés. En posant le pied à terre, il a pu constater avec satisfaction qu'il n'était plus un fugitif. Le gouverneur de la province s'avançait à sa rencontre en compagnie d'Hekmatyar, l'ancien chef du gouvernement afghan, leader du parti islamiste radical Hezb Islami. Un troisième homme les accompagnait, m'a-t-on appris de source bien informée. Il s'agissait du commandant Massoud. Je savais que l'Alliance du Nord, comme les autres mouvements afghans, accueillait des combattants arabes appartenant à la mouvance d'Al Qaeda. Mais ce qui me surprenait le plus, c'était l'entente entre Hekmatyar, le fanatique religieux, et le lion du Panshir. Mon interlocuteur afghan avait souri de ma surprise avant d'ajouter, fin connaisseur des réalités politiques françaises : « La différence entre Hekmatyar et Massoud est aussi grande que celle existant entre Juppé et Bayrou. »

Avant de gravir les quelques marches qui conduisent du tarmac au hall d'entrée, peut-être le Saoudien et ses hôtes se sont-ils assis sur l'une des sept chaises en plastique disposées sur la petite terrasse grise et qui sont là depuis des années. Puis, dans la voiture l'emmenant vers le centre de Jalalabad, il est passé devant le panneau publicitaire rouillé et criblé de balles vantant le confort et la qualité des vols d'Ariana Airline, la compagnie afghane, avant d'emprunter la route bordée d'eucalyptus qui précède les faubourgs de la ville et ce marché où des échoppes proposent d'innombrables pièces détachées de voitures d'occasion.

Le rapport de la commission d'enquête a également omis de mentionner le séjour de Bin Laden à l'hôpital américain de Dubaï en juin 2001, moins de trois mois avant les attentats. Des membres de sa famille lui avaient rendu visite, ainsi que deux princes saoudiens et le chef d'antenne de la CIA à Dubaï, Larry Mitchell. Cet honorable correspondant avait un travers, celui de ne pouvoir garder un secret au terme d'une soirée bien arrosée. Il s'était vanté de cette rencontre et le secret soigneusement gardé sur la présence à Dubaï du chef d'Al Qaeda s'était brusquement éventé. Rappelé à Washington, Mitchell était devenu totalement injoignable. « Il est en voyage de noces », répondait-on non sans humour au siège de la CIA. Je me suis rendu à l'hôpital, un bâtiment luxueux. Visiblement, le personnel obéissait à des consignes très strictes. Personne ne voulut répondre à mes questions. L'hospitalisation du chef d'Al Qaeda semblait avoir été effacée de toutes les mémoires.

Paradoxe : pendant des années, les principaux responsables américains n'avaient accompli aucun effort pour neutraliser Bin Laden et pourtant, immédiatement après les attentats, tous exprimèrent leur conviction que les coupables étaient Al Qaeda et son chef.

Des informations trop sensibles

Le matin du 11 septembre, le directeur de la CIA, George Tenet, prenait un petit déjeuner avec le sénateur Boren dans un restaurant situé à proximité de la Maison Blanche, lorsqu'un collaborateur l'avertit des attaques. Tenet passa plusieurs appels de son portable avant de se tourner vers le sénateur Boren pour lui dire : « Vous savez, il y a les empreintes de Bin Laden derrière tout ça. » Richard Clarke, le chef de l'antiterrorisme, dans le récit qu'il fait des événements, raconte : « George Tenet est en ligne. Il ne nous laisse aucun doute : pour lui, c'est Al Qaeda qui a causé ces atrocités. Il est déjà en relation avec ses homologues à l'étranger, rassemblant les forces pour la contre-attaque [1]. » Il évoque ensuite la première réunion qui se tint quelques heures plus tard en présence du président américain : « Je veux que vous compreniez tous que nous sommes en guerre et que nous le resterons jusqu'à ce que tout ceci soit terminé. Rien d'autre n'a d'importance. Tout est bon pour la poursuite de cette guerre. Des obstacles sur votre chemin : ils ne comptent plus. De l'argent : "Vous l'avez. C'est notre unique programme." Le président me demande alors de me polariser sur l'identification de la prochaine attaque éventuelle et sur les moyens de l'empêcher [...]. Bush a déjà appris que la CIA était au courant que plusieurs des pirates de l'air appartenaient à Al Qaeda et qu'ils se trouvaient aux Etats-Unis. Il désire à présent savoir quand la CIA en a averti le FBI et ce que celui-ci a fait de cette information. Les réponses sont imprécises mais il apparaît que la CIA a mis des mois pour informer le FBI de la présence des terroristes dans le pays. Quand le FBI l'a enfin appris, il n'a pas réussi à les localiser. Si le FBI les avait présentés à l'émission "America's most wanted" (avis de recherche), ou s'il avait alerté la direction de l'aviation civile, peut-être toute la cellule aurait pu être appréhendée [...]. »

Au matin du 12 septembre, la CIA est désormais formelle sur l'implication d'Al Qaeda dans les attentats.

Le 13 septembre, c'est au tour de George W. Bush de présenter Ousama Bin Laden comme le commanditaire des attentats. Il réclame son extradition au régime des Talibans et promet de « mener le monde à la victoire » contre l'organisation islamiste Al Qaeda. Le 4 octobre 2001, le Premier ministre britannique, Tony Blair, lira à la Chambre des Communes des extraits d'un document

1. Richard Clarke, *Against all Enemies*, RAC enterprises, 2004.

qui, précise-t-il, « n'a pas pour but de fournir matière à des poursuites contre Ousama Bin Laden devant une cour de justice. Les informations obtenues par les services de renseignement ne peuvent généralement pas être utilisées comme preuve en raison de critères stricts d'admissibilité et de la nécessité de protéger les sources. Mais sur la base des informations disponibles, le gouvernement de Sa Majesté a toute confiance dans les conclusions qui sont présentées dans ce document ».

Le texte s'intitule : *Responsabilité pour les atrocités terroristes aux Etats-Unis, le 11 septembre.*

« Les conclusions auxquelles est clairement parvenu le gouvernement sont : Ousama Bin Laden et Al Qaeda, le réseau qu'il dirige, ont planifié et exécuté les atrocités du 11 septembre 2001 [...]. Ousama Bin Laden et Al Qaeda ont toujours la volonté et les ressources pour mener à bien de nouveaux attentats. Le Royaume-Uni et les ressortissants du Royaume-Uni sont des cibles potentielles ; Ousama Bin Laden et Al Qaeda sont parvenus à commettre ces atrocités en raison de leur alliance rapprochée avec le régime des Talibans qui les autorise à poursuivre impunément leur entreprise terroriste [...]. Il existe des preuves d'une nature très spécifique concernant la culpabilité de Bin Laden et de ses associés, mais elles sont trop sensibles pour être divulguées [...]. Aucune autre organisation n'a à la fois la motivation et la capacité de mener à bien des attaques comme celle du 11 septembre, à l'exception du réseau Al Qaeda dirigé par Ousama Bin Laden. »

Recherché mais pas officiellement inculpé

« Je le veux mort ou vif », lancera peu après George W. Bush. Pourtant, en consultant deux ans et demi après les fichiers du FBI, un détail m'a profondément intrigué. Ousama Bin Laden figure sur la liste des « dix fugitifs les plus recherchés », aux côtés de Michael Alfonso ou encore James J. Bulger et Hopeton Eric Brown, dont j'ignore quels crimes ils ont commis. Mais sa fiche détaillée est extrêmement surprenante. Elle s'attarde sur ses pseudonymes ou surnoms : le Prince, l'Emir, Haq ou encore le directeur, mentionne son poids, sa taille, précise que son métier est « inconnu » et qu'il ne porte sur le corps aucune marque ni cicatrice.

Au-dessus de sa photo et de son nom figure la mention en gros caractères : « Meurtre de nationaux américains en dehors des Etats-Unis ; conspiration au meurtre de nationaux américains en dehors des Etats-Unis ; attaque d'une installation fédérale ayant occasionné la mort. » Tout en bas de la fiche, sous le terme « avertissement », je lis : « Ousama Bin Laden est recherché en rapport avec les bombardements, le 7 août 1998, des ambassades des Etats-Unis à Dar es-Salaam, en Tanzanie, et à Nairobi au Kenya. Ces attaques ont tué plus de deux cents personnes. De plus, Bin Laden est considéré comme suspect dans plusieurs autres attaques terroristes menées à travers le monde. »

L'avis de recherche se termine ainsi. Pas un mot de plus. Je vérifie qu'il s'agit bien de la fiche la plus récente. En fait, elle n'a jamais été réactualisée depuis 2001. Je reste stupéfait : officiellement et bien que sa tête soit mise à prix à vingt-cinq millions de dollars, Ousama Bin Laden, décrit par le FBI comme « le leader terroriste d'une organisation connue comme Al Qaeda, gaucher et marchant avec une canne », n'est ni recherché, ni inculpé par les autorités américaines pour les attentats du 11 septembre et les 2 996 victimes qu'ils ont provoquées. Et pas davantage d'ailleurs pour l'attentat perpétré à Aden contre le croiseur *USS Cole*, attribué pourtant à Al Qaeda.

Pourquoi cette incroyable lacune qui ne peut en aucune façon être le fait du hasard, alors qu'il s'agit du personnage le plus recherché de la planète et que les Etats-Unis ont déclenché deux guerres, l'une en Afghanistan, puis en Irak, officiellement pour le capturer et détruire Al Qaeda ?

J'ai eu la réponse en juin 2004, de la bouche d'un responsable du FBI que j'ai rencontré à Londres où il était de passage. L'homme travaille à Washington, au siège de l'agence, et je le connais depuis près de dix ans. Lorsqu'il opérait aux côtés de John O'Neill, le chef de l'antiterrorisme, au bureau de New York, écarté puis mort dans les tours dont il était devenu le chef de la sécurité.

Nous sommes installés dans la chambre de son hôtel, situé sur le Strand. Une pièce de taille relativement modeste où nous occupons les deux fauteuils de velours marron qui se font face. Il est massif, placide, la quarantaine sportive. Il m'écoute sans émotion apparente. Il paraît hésiter sur le choix des mots à employer pour me répondre. Il s'exprime avec un accent traînant du Sud dont il est issu : « Je connais bien sûr cette fiche et la réponse que je vais vous apporter va probablement encore plus vous étonner. Savez-vous pourquoi Bin Laden n'est pas recherché pour les attentats du 11 septembre ? Parce que le FBI dépend du ministère de la Justice et M. John Aschcroft, le ministre, n'a jamais, depuis septembre 2001, donné l'ordre que l'on délivre un avis de recherche fédéral (*Federal Warrant*) contre Bin Laden. Pour la justice américaine et les agences chargées de l'enquête, Ousama, c'est vrai, n'est donc pas officiellement suspect dans le carnage perpétré. Nous sommes un certain nombre, au FBI, à éprouver un grand trouble devant cette situation, mais nous avons les mains liées. L'attitude de M. Aschcroft et du président Bush, quant à elles, sont inexplicables. »

Il porte un costume bleu et une cravate aux motifs colorés qui tranche avec les choix vestimentaires habituels des hommes du FBI. Il s'exprime par séquences, entrecoupées de silences de même durée : « Les Etats-Unis et le reste du monde sont en guerre contre une organisation terroriste dont le chef n'est pas inculpé pour les attentats qu'on lui impute. Avouez que ce n'est pas banal. »

L'onde de choc islamiste

Pour comprendre l'imbrication des événements, il faut souvent remonter dans le temps. En 1975, Beyrouth est une ville coupée en deux, pilonnée par les bombardements. La même année le roi Fayçal d'Arabie saoudite est assassiné par un de ses neveux, dans des circonstances toujours non élucidées. En 1977, le général Zia Ul-Haq prend le pouvoir au Pakistan, instaure la charia et fait de l'Islam radical la clé de voûte de son pouvoir et de sa politique. En 1979, enfin, année charnière, l'ayatollah Khomeyni se prépare à prendre le pouvoir en Iran. Je me souviens du modeste pavillon qui l'abritait à Neauphle-le-Château, dans la banlieue parisienne, du sol recouvert d'un tapi sur lequel il recevait ses visiteurs, entouré d'hommes qui pour la plupart allaient connaître le sort tragique que décrit le dicton : « La révolution dévore ses enfants. »

Il m'avait reçu cinq minutes, levant à peine les yeux, égrenant d'une voix sourde et monocorde les crimes du Shah. Seize ans plus tard, le roi du Maroc, Hassan II, qui avait accueilli le souverain en exil, me confiait : « Le Shah a tout perdu parce qu'il n'avait pas d'amis. Un régime doit reposer sur un minimum de racines. L'Iran laïque et moderniste qu'il croyait façonner s'était coupé de ses voisins et du monde musulman avec lequel il n'entretenait aucun lien particulier. Et ses alliés américains l'ont lâché, furieux qu'il ait joué un rôle décisif dans la hausse des prix du pétrole. »

L'onde de choc de la révolution islamique se propage en Arabie saoudite. La même année, en novembre, des centaines d'étudiants en religion avec à leur tête Jouhayman Al Otaibi prennent le contrôle de la grande mosquée de La Mecque et exigent des Saoud le retour aux principes du wahhabisme et l'arrêt de toute compromission avec les Etats non islamiques. On m'a rapporté qu'un des frères d'Ousama, Marhous, avait été arrêté comme sympathisant puis relâché. Pourtant, l'enquête allait révéler que les armes utilisées par les insurgés auraient été acheminées à l'intérieur des camions appartenant au groupe Bin Laden et que la famille était seule à posséder les cartes complètes de tous les emplacements des lieux saints. Marhous est désormais le responsable du groupe Bin Laden pour la ville sainte de Medine.

Enfin, en décembre 1979, les Soviétiques envahirent l'Afghanistan et Amin, quelques mois après, fut intronisé président, juste après avoir fait étouffer son prédécesseur Taraki qui venait de rentrer de Cuba.

Mais le communisme commençait à mourir de nier la réalité et nous nous trompions sur la réalité de la menace communiste. Pourtant tous les experts occidentaux décrivaient l'occupation soviétique de l'Afghanistan comme un épisode décisif dans le « grand jeu » défini par Rudyard Kipling à la fin du XIXe siècle. Désormais, Moscou se trouvait à proximité des champs pétrolifères du Golfe et menaçait directement les sources d'approvisionnement occidentales. Les chancelleries tremblaient sans savoir qu'un autre détonateur autrement plus grave venait d'être enclenché, en cette même année. Il allait modifier radicalement le comportement des pays de la région et les faire éclore à leurs réalités actuelles : l'Arabie saoudite, cible présumée de l'Union soviétique, deviendra le danger que l'on sait ; appuyés par la CIA, les services secrets pakistanais transforment le *djihad* afghan en une grande guerre menée par tous les pays musulmans contre l'URSS, avant de retourner les armes contre l'Occident.

1979 fut aussi l'année d'un autre événement historique : la signature des accords de Camp David entre Israël et l'Egypte, instaurant la paix entre les deux pays. Moins de deux ans plus tard, en octobre 1981, Sadate fut assassiné, au cours d'une parade militaire, par des membres du mouvement islamiste Al Jihad.

Des milliers de suspects avaient été arrêtés et emprisonnés par les autorités égyptiennes dont plusieurs dizaines furent ensuite relâchés. Parmi eux, le Sheikh Omar Abdel Rahman qui fut condamné par le tribunal de New York pour son implication dans le premier attentat contre le World Trade Center en 1993. Fiché par les autorités américaines, il avait pourtant réussi à obtenir un visa d'entrée aux Etats-Unis, grâce à l'intervention auprès du consulat américain au Caire d'un responsable de la CIA. Un autre personnage extrait des geôles égyptiennes était l'un des leaders du mouvement Al Jihad qui avait planifié l'assassinat de Sadate. Son nom : Ayman Al Zawahiri, médecin de formation, fils d'une famille de la grande bourgeoisie cairote. Il est aujourd'hui le numéro deux d'Al Qaeda et le maître à penser, dit-on, d'Ousama Bin Laden.

L'engagement de Bin Laden

En 1979, Ousama Bin Laden a 22 ans et termine ses études à l'université de Djeddah : science économique et marketing. Il est l'un des cinquante-quatre membres d'un groupe qui porte son nom et doit tous ses contrats aux faveurs royales.

Le fondateur Mohammed Bin Laden est un Yéménite illettré mais génial en affaires. Dans les années 50, il gagne les faveurs du roi Saoud, cloué dans un fauteuil roulant, en construisant une rampe qui lui permet d'accéder au second étage de son palais. En 1964, quand le roi Fayçal monte sur le trône, il n'existe qu'une seule route pavée dans le pays reliant Riyad à la base de Dharan. Mohammed Bin Laden se voit confier la construction de toutes les routes du pays. Sa mort, à la fin des années 60, dans un accident d'avion, ne change rien aux privilèges octroyés à sa famille. En 1973, la flambée des cours du pétrole offre aux Bin Laden le plus impensable des cadeaux. La famille royale attribue à leur groupe la reconstruction totale des lieux saints de La Mecque et Médine, un projet, comme l'écrit un observateur, « aussi ambitieux et prestigieux que de rebâtir le Vatican ». Le coût de cette rénovation qui s'étendra sur plus de dix ans sera évalué à au moins 17 milliards de dollars.

Oublié le temps où le fondateur du royaume, Ibn Saoud, confiait dans les années 30 : « Je suis tellement pauvre que je n'ai qu'une pierre comme oreiller », et où les seules ressources du pays provenaient des droits d'entrée acquittés par les pèlerins se rendant dans les lieux saints. La richesse de la famille royale a rejailli sur les Bin Laden et le jeune Ousama a ses entrées au sein de la famille régnante. En 1979, il s'est lié d'amitié avec l'un des fils du défunt roi Fayçal, le prince Turki Ibn Fayçal, qui dirige les services secrets du pays, poste qu'il conservera vingt-cinq ans. Turki sera l'un des mentors de Bin Laden. Au jeune homme révolté par la présence de l'URSS sur la terre d'Afghanistan, il propose d'animer un réseau pour l'envoi de combattants arabes décidés à lutter contre les Soviétiques. Un projet que le prince nourrissait depuis longtemps et qu'il concrétise en installant Ousama à Peshawar.

Le journaliste Robert Fisk, qui a rencontré et interviewé à plusieurs reprises le chef d'Al Qaeda, notamment en Afghanistan, rapporte : « Bin Laden m'avait parlé de la décision immédiate qu'il avait prise en apprenant que l'armée soviétique avait envahi l'Afghanistan. Il avait apporté le matériel de construction de sa société à des chefs tribaux en révolte pour combattre ce qu'il considérait comme une armée corruptrice et hérétique pillant l'Afghanistan islamiste. Il finança le voyage de milliers d'Arabes moudjahidin en Afghanistan pour qu'ils se battent à ses côtés. Ils vinrent d'Egypte, du Golfe, de Syrie, de Jordanie, du Maghreb. Beaucoup furent taillés en pièces par des mines ou déchiquetés par les mitrailleuses des hélicoptères Hind soviétiques. Lors de notre première rencontre au Soudan, j'ai convaincu Bin Laden, contre son gré, de me parler de cette époque. Il m'a raconté que pendant une attaque contre une base russe proche de Jalalabad, dans la province de Nangahar, un obus de mortier était tombé à ses pieds. Dans les fractions de seconde de rationalité qui ont suivi la chute, il a éprouvé – c'est ce qu'il m'a dit – un grand calme, une impression d'acceptation sereine qu'il a attribuée à Dieu. L'obus, à la grande consternation des Américains aujourd'hui, n'a pas explosé. Quelques années plus tard, à Moscou, j'ai rencontré un ancien officier du renseignement soviétique qui avait passé quelques mois en Afghanistan pour tenter d'organiser la liquidation de Bin Laden. D'après lui, il avait échoué parce que les hommes de Bin Laden ne se laissaient pas acheter. Personne ne voulait le trahir. "C'était un homme dangereux, le plus dangereux pour nous", me dit ce Russe. Bin Laden m'a répété qu'il n'avait jamais accepté la moindre munition provenant de l'Occident, qu'il n'avait jamais rencontré d'agent américain ou britannique.

« Cependant, ses bulldozers et ses engins creusaient des routes dans les montagnes pour que ses moudjahidin lancent leurs missiles antiaériens Blowpipe, fabriqués en Grande-Bretagne, assez haut pour atteindre les Migs soviétiques. L'un de ses partisans armés m'a emmené plus tard sur la piste Bin Laden, odyssée terrifiante de deux heures dans la pluie et le verglas, au bord de ravins terrifiants. "Quand on a foi dans le Djihad (la guerre sainte), c'est facile", m'a expliqué le terroriste. "Toyota est bon pour le Djihad", a-t-il dit. C'est la seule plaisanterie que j'aie entendue de la bouche d'un des hommes de Bin Laden. »

Je suis convaincu que Bin Laden dit vrai quand il affirme que durant cette période il n'a rencontré ni Américain ni Britannique. Il ignorait seulement à quel point les Etats-Unis avaient instrumentalisé l'Islam dans leur lutte contre les Soviétiques. J'ai appris que les instructeurs de la CIA, qui formaient les moudjahidin aux côtés des services secrets pakistanais, devaient leur tenir un discours épousant les enseignements de l'Islam, dont les « thèmes prédominants » étaient : « L'Islam est une idéologie sociopolitique complète ; l'Islam sacré a été violé par les troupes soviétiques athées et le peuple islamique d'Afghanistan doit réaffirmer son indépendance en se débarrassant du régime socialiste afghan soutenu par Moscou. »

Bin Laden comme les autres combattants arabes ou afghans ne pouvaient imaginer qu'ils se battaient contre l'Union soviétique pour le compte des Etats-Unis. Je pense que l'idée même n'a jamais traversé l'esprit du futur chef d'Al Qaeda parce qu'elle ne correspond absolument pas à sa grille d'analyse du monde et des rapports de forces qu'elle implique.

Contrairement à une idée arrêtée, la cause palestinienne n'a pas exacerbé l'engagement de Bin Laden. Elle ne l'intéresse absolument pas. Des gens qui l'ont rencontré à l'époque rapportent son véritable dégoût devant la tenue de la conférence de Madrid en 1992 qui réunissait pour la première fois autour de la même table des délégations israélienne, palestinienne, syrienne et libanaise ; son dégoût également en découvrant que le porte-parole palestinien lors de ces négociations était une femme, chrétienne de surcroît, Hanane Ashraoui. Selon un excellent observateur, « les Palestiniens sont trop modernes pour Bin Laden. Il est fermement convaincu qu'ils ne pourront pas se détacher des Juifs parce qu'ils sont dirigés par un cocktail de femmes, de chrétiens, d'homosexuels et de marxistes. Bin Laden ne fait d'ailleurs que reproduire les idées de son mentor, Abdullah Azzam, un Palestinien de Jordanie, issu des frères musulmans ».

Si la Palestine, aux mains de mécréants comme Arafat ou Habache, ne mérite pas d'être libérée, par contre la lutte contre l'occupant soviétique en Afghanistan représente une grande cause. De retour à Riyad, en 1980, il propose au prince Turki Ibn Fayçal d'utiliser sa fortune personnelle pour faire venir des combattants et aider financièrement leurs familles. Le chef des services secrets saoudiens lui répond que le royaume mettra à sa disposition tous les moyens dont il a besoin. Pendant vingt et un ans, le prince Turki va tenir parole et déverser des flots d'argent destinés à certains des mouvements de résistance et à armer les combattants qui affluaient. Sous les vifs encouragements de la CIA, quelque 35 000 intégristes musulmans, en provenance de quarante pays islamiques, se joignirent à la lutte entre 1982 et 1992. D'autres dizaines de milliers vinrent étudier dans les madrasa pakistanaises. « Avec le temps, estime Ahmed Raschid, plus de 100 000 intégristes musulmans furent directement influencés par le Djihad afghan. »

Djihad contre communisme

Soutenir les mouvements fondamentalistes islamiques représentait depuis des décennies une des constantes de la politique américaine dans cette zone. La présence et l'influence américaines en Arabie saoudite, depuis le début des années 50, n'avaient cessé de s'accroître, tout comme la production de pétrole et le développement de la base aérienne de Dhahran. L'Aramco, le consortium américain qui contrôlait l'extraction de l'or noir dans le royaume, pouvait compter sur de puissants relais à Washington, en la personne du secrétaire d'Etat John Foster Dulles et de son frère Allen, directeur de la CIA. Pour les deux hommes, l'arrivée au pouvoir de Nasser qui prônait un nationalisme panarabe représentait un danger pour la région et surtout pour la stabilité du royaume saoudien. Nasser, allié de Moscou, horrifiait John Foster Dulles. Cet anticommuniste ultrareligieux, qui aurait eu sa place dans l'administration de George W. Bush, confiait qu'il lisait longuement la Bible avant chaque rencontre avec son homologue soviétique, Andrei Gromyko.

Selon Saïd Aburish, « c'est durant la période 1958-1960 que le Département d'Etat a commencé à exagérer la menace communiste au Moyen-Orient, et l'Aramco, la CIA et notamment ses agents en poste au Caire et à Beyrouth ont commencé à soutenir les groupes islamiques fondamentalistes comme un contrepoids à Nasser. C'était en partie un prolongement de la stratégie de Kim Roosevelt (un des responsables de la CIA) qui avait utilisé avec succès en Iran les organisations musulmanes contre les mouvements de gauche. Le mouvement des Frères musulmans antinassérien fut financé et les responsables religieux incités à attaquer l'Union soviétique pour ses choix antimusulmans [1]. »

En 1980, Ronald Reagan avait épousé avec enthousiasme la cause de ces fondamentalistes afghans qu'il qualifiait de « combattants de la liberté ». Personne à Washington ne semblait conscient que ces organisations prônaient une dictature religieuse, l'obscurantisme, l'oppression des femmes et les mutilations pour les coupables. William Casey, le directeur de la CIA, était au cœur de ce dispositif qui visait à recruter le maximum de militants islamistes, venant du monde entier, aussi bien du Maroc que de l'Indonésie, prêts à venir combattre en Afghanistan ; on trouvait même des musulmans noirs américains, voyageant en Afghanistan, encadrés par la CIA, entraînés par des instructeurs de l'agence avant d'être envoyés au combat avec des armes américaines.

En mars 1985, le président Reagan signa la directive de sécurité nationale numéro 166 qui autorisait une aide secrète aux moudjahidin. Cette initiative démontrait sans équivoque que la guerre secrète menée en Afghanistan avait pour objectif de combattre les troupes soviétiques. La nouvelle aide en sous-main des Etats-Unis fut marquée par une augmentation substantielle de la quantité d'armes fournies – une aide annuelle régulière équivalant, en 1987, à 65 000 tonnes d'armes –, de même qu'un flot incessant de spécialistes de la CIA et du Pentagone au quartier général des services de renseignement pakistanais, sur la route principale, près de Rawalpindi.

1. Saïd K. Aburish, *The Rise, Corruption and Coming Fall of the House of Saud*, St Martin Press, 1996.

« Une guerre financée clandestinement à hauteur de 3 milliards de dollars par le royaume saoudien. » Comme le confiait en plaisantant le prince Turki, chef des services secrets et ami d'Ousama Bin Laden qui combattait alors dans les montagnes afghanes : « Le dollar américain devient un dollar soutenant les moudjahidin. »

Les deux alliés, américain et saoudien, y trouvaient leur compte. William Casey, le directeur de la CIA, passionné d'histoire, confiait à des proches que la clé de la victoire américaine en 1776 avait été l'utilisation de « partisans non intégrés dans l'armée et menant une guérilla ». C'était exactement ce qu'il retrouvait avec les combattants afghans. Pour la famille royale saoudienne, cette guerre juste contre une superpuissance « infidèle » qui avait envahi des terres musulmanes constituait le moyen de rassembler autour de cette cause toutes les composantes de la société, les riches marchands, les religieux comme les masses fondamentalistes, et de faire taire les contestations.

Un « nouvel homme islamique » était peut-être en train de naître et Ousama Bin Laden, de plus en plus populaire, l'incarnait. Certains le présentaient comme un « combattant Gucci » mais un Pakistanais qui s'était battu à ses côtés affirmait : « Il est un héros pour nous parce qu'il est toujours sur le front, toujours devant. Il ne distribue pas seulement son argent, il donne de lui-même. » Une telle politique impliquait des entorses, une violation même des règles élémentaires de sécurité.

La CIA fournit des visas

Michael Springman qui dirigeait le service des visas au consulat américain de Djeddah, en 1988, a fourni un témoignage accablant : « En Arabie saoudite, je recevais fréquemment des ordres émanant d'officiels importants du Département d'Etat et me demandant d'accorder des visas pour les Etats-Unis à des demandeurs qui ne répondaient pas aux critères. Il s'agissait essentiellement de gens qui n'avaient aucun lien avec l'Arabie saoudite ou leur pays d'origine. Je m'en plaignais amèrement. Un exemple : deux Pakistanais réclamaient un visa pour se rendre à une foire commerciale sur le sol américain et affirmaient que leur voyage était payé par le ministère du Commerce pakistanais. Cependant ils ne connaissaient pas le nom de la foire ni la ville où elle se déroulait. J'ai refusé leurs demandes. Immédiatement après, le responsable de la CIA est venu me voir pour me demander de changer de position. J'ai à nouveau refusé mais les visas leur ont tout de même été délivrés. Quand je suis rentré aux Etats-Unis, j'en ai parlé au Département d'Etat, au General Accountability Office, au bureau de la sécurité diplomatique et au bureau de l'inspecteur général. Personne ne m'a répondu. Ce contre quoi je protestais était en réalité un effort pour transférer aux Etats-Unis des recrues entraînées aux activités terroristes par la CIA, puis envoyées en Afghanistan pour combattre les Soviétiques. Le premier attentat contre le World Trade Center, en 1993, n'a pas ébranlé la foi du Département d'Etat dans les Saoudiens, pas plus que les attaques contre le site des tours de Khobar, en Arabie saoudite, trois ans plus tard, dans lesquelles dix-neuf Américains périrent. » Brève précision : quinze des dix-neuf pirates de l'air ont obtenu leur visa au consulat américain de Djeddah.

Zbigniew Brzezinski, le conseiller de Carter qui le premier, le 3 juillet 1979, avait convaincu le président américain d'aider les rebelles afghans, confia à Vincent Jauvert du *Nouvel Observateur* : « Qu'est-ce qui est le plus important dans l'histoire du monde : l'existence des Talibans ou la chute de l'empire soviétique ? Quelques islamistes surexcités ou la libération de l'Europe centrale et la fin de la guerre froide ? »

Le tango pakistanais

Les services secrets américain, saoudien et pakistanais travaillaient certes main dans la main durant cette période, mais les deux alliés régionaux de Washington jouaient leur propre partition. Les relations entre la CIA et l'ISI, le principal service de renseignement pakistanais, s'étaient considérablement améliorées après le coup d'Etat du général Zia en 1977, qui avait imposé un régime militaire et fait pendre son prédécesseur, Ali Bhutto. Zia avait instauré la charia à travers le pays et se montrait encore plus anticommuniste que l'administration Reagan. Peu après l'invasion de l'Afghanistan par les Soviétiques, le dictateur pakistanais donna l'ordre au directeur de l'ISI de mener des actions clandestines afin de déstabiliser les républiques soviétiques d'Asie centrale. Selon Diego Cordovez et Selig Harrison, « la CIA n'approuva ce plan qu'en 1984... La CIA était plus prudente que les Pakistanais. »

Pourtant, l'intervention des Pakistanais en Asie centrale, dans les Balkans et le Caucase allait, selon un rapport de la CIA dont j'ai pu prendre connaissance, « servir de catalyseur pour la désintégration de l'URSS et l'émergence de six républiques musulmanes en Asie centrale ».

J'ignorais tout de ces opérations quand j'avais rencontré Zia ul-Haq pour une interview à Islamabad. C'était deux ans avant son renversement et sa mort. Ses cheveux gominés, ses yeux sombres surmontés d'épais sourcils et sa moustache finement ouvragée le faisaient ressembler à un personnage de traître ou de méchant directement sorti d'un film muet. Des dizaines de milliers de réfugiés afghans s'entassaient alors dans les multiples camps installés sur la frontière. Une zone de recrutement idéale pour de futurs combattants et des dividendes politiques importants engrangés par Zia et son régime.

Cet homme impitoyable, qui avait du sang sur les mains, s'exprimait consciencieusement, d'une voix timide. Nous étions assis autour d'une table, dans des fauteuils en osier blanc, sur la pelouse de sa résidence au gazon impeccablement taillé. Des paons circulaient à quelques mètres. Le président-dictateur m'avait parlé de sa foi, de la supériorité de l'islam et de la victoire inéluctable qui serait remportée sur l'Union soviétique. « L'Afghanistan redeviendra libre », m'avait-il lancé d'un ton définitif. A cet instant, j'avais vu son visage changer, tandis que deux domestiques apparaissaient, tenant par la main un garçon de 5 ou 6 ans. C'était un enfant visiblement simplet que Zia avait pris sur ses genoux, radieux, lui parlant avec tendresse. La rencontre entre cet homme sanguinaire et ce petit garçon diminué m'avait beaucoup plus marqué que la teneur de ses propos qui me faisaient penser à un catalogue de slogans. Pourtant, les événements lui avaient donné raison.

L'argent saoudien et l'encadrement pakistanais avaient permis à la résistance afghane de porter des coups sévères à l'armée rouge, provoquant son retrait en 1989 et déclenchant la fin de l'empire communiste. Un proche collaborateur de Bush père m'avait raconté comment s'était déroulé, pour le 41e président des Etats-Unis, ce mois d'août 1989. Comme chaque année, il était parti en vacances dans sa résidence de Kennebunkport, une petite station balnéaire du Maine. Il gardait un contact permanent avec la Maison Blanche et se tenait informé, pratiquement heure par heure, des évolutions en URSS et en Europe de l'Est.

Les deux dossiers étaient désormais prioritaires. La décomposition de l'empire soviétique fascinait Bush et il avait donné pour consigne à toutes les agences de renseignement, notamment à la CIA, de concentrer leurs efforts sur cette zone. Quand il partait pêcher en mer, un téléphone cellulaire porté par un assistant lui permettait de rester en liaison constante avec le monde entier. Chaque matin, le président jouait au golf. Ses parties étaient fréquemment interrompues par des appels urgents provenant de Washington. Arpentant le green, entouré de ses gardes du corps, le chef de l'exécutif recevait de nouvelles informations sur l'effondrement progressif des régimes communistes est-européens. « C'est insensé », confia-t-il un jour à ce collaborateur qui me l'a rapporté. Il venait juste de raccrocher le combiné. « Je ne peux même pas finir tranquillement ma partie sans être dérangé par un nouvel événement. Entre le moment où j'ai franchi le neuvième trou et celui où j'attaque le onzième, il s'est encore passé quelque chose à l'Est. »

Les quatre piliers de la guerre sainte

C'était en quelque sorte une illustration de la théorie du chaos, les ailes du papillon volant en Afghanistan avaient provoqué l'effondrement du mur de Berlin. Ousama Bin Laden avait joué un rôle dans cette victoire de l'islam et l'écroulement de l'une des deux superpuissances militaires de la planète.

En 1989 justement, il rentrait en Arabie saoudite, accueilli en héros. Il avait défié et vaincu Moscou ; un an plus tard, c'est l'Amérique et son propre pays qui devenaient ses adversaires mortels.

Il a confié à Robert Fisk que 1990 constituait la date la plus importante pour lui, celle de la trahison suprême :

« Quand les troupes américaines ont pénétré dans le pays des deux lieux saints, les *oulemas* (autorités religieuses) et les étudiants de la charia ont protesté vigoureusement dans tout le pays contre l'intervention des soldats américains, a-t-il confié. Le régime saoudien, en commettant la grave erreur d'inviter les troupes américaines, a révélé sa duperie. Il a apporté son soutien à des nations qui combattaient les musulmans. Ils [les Saoudiens] ont aidé les Yéménites communistes contre les Yéménites musulmans du Sud [la famille de Bin Laden est originaire du Yémen] et ils aident le régime d'Arafat à combattre le Hamas. Après avoir insulté et emprisonné les oulemas, le régime saoudien a perdu sa légitimité... Le peuple saoudien se souvient maintenant de ce que lui ont dit les oulemas et il s'aperçoit que l'Amérique est la principale cause de ses problèmes. L'homme de la rue sait que son pays est le plus gros producteur de pétrole du monde, et pourtant il subit des impôts et ne bénéficie que de mauvais services. Le peuple comprend maintenant les discours des oulemas dans les mosquées, selon lesquels notre pays est devenu une colonie américaine. Il agit avec détermination pour chasser les Américains d'Arabie saoudite. Ce qui s'est passé à Riyad et à Khobar, avec vingt-quatre Américains tués dans deux bombardements, est une preuve manifeste de l'immense colère du peuple saoudien envers l'Amérique. Les Saoudiens savent maintenant que leur ennemi est l'Amérique. »

Bin Laden se rattache à une longue lignée de contestataires intégristes, comme Fayçal Al Dowaysh qui avait fomenté entre 1927 et 1930 la révolte des Ikhiwan, une confrérie wahhabite aux objectifs messianiques qui voulait rétablir la pureté de l'islam dans les autres pays musulmans. La stratégie de Bin Laden n'est pas planétaire. Elle est à l'image de sa vision du monde : limitée aux zones musulmanes. Elle vise des monarchies fragili-

sées, l'Arabie saoudite bien sûr, mais aussi celles du
Maroc et de Jordanie, ainsi que l'Egypte de Moubarak
dont la survie dépend des 2 milliards de dollars d'aide
annuelle versés par Washington. Elle s'étend aux républiques d'Asie centrale mais aussi à l'Indonésie et à la
Malaisie. De même que Mohamed, 1 400 ans plus tôt,
avait unifié les tribus d'Arabie, Bin Laden rêve d'une
restauration du califat qui unifierait autour de lui les tribus de l'islam.

« Pour comprendre les vues à long terme de Bin
Laden, écrit Pepe Escobar dans *Asia Times*, il est essentiel de connaître les quatre piliers sur lesquels s'appuie sa
guerre sainte : 1) la Péninsule arabique avec sa richesse
pétrolière et, plus que tout, les deux lieux les plus sacrés
de l'islam ; 2) l'Egypte, le cœur du monde musulman où
il peut compter sur le soutien des réseaux de la *gamaa*
islamique, l'organisation créée par le cerveau d'Al Qada,
le *docteur* Ayman Al Zawahiri ; 3) la contre-révolution
islamique iranienne qui se développera quand sa propre
révolution islamique sunnite aura abouti à une superpuissance à laquelle les chiites iraniens seront forcés d'adhé-
rer ; 4) la vallée de l'Indus, où se trouve le Pakistan, un
Etat détenteur de l'arme nucléaire et d'une armée musulmane infiltrée par des islamistes fervents. »

Le Pakistan est le pays clé dans la stratégie de Bin
Laden et Al Qaeda. Dans les années 80, alors qu'il
combattait en Afghanistan, il avait pu compter sur trois
alliés de poids : le prince Turki, le financier saoudien,
chef des services secrets, mais également sur deux Pachtounes, l'ethnie majoritaire au Pakistan et en Afghanistan.
L'un, Hamid Gul, chef de l'ISI, service secret qui est un
véritable Etat dans l'Etat, fut l'artisan de la guerre sainte
contre les Soviétiques. Le second, le général Nasirullah
Babar, confortablement installé aujourd'hui dans la ville

frontière de Peshawar, avait créé les Talibans. Deux hommes appartenant à d'importantes familles pachtounes tout autant afghanes que pakistanaises.

Mais il existait un autre secret soigneusement enfoui, que personne à Washington comme à Islamabad ne souhaitait voir révélé : l'argent de la drogue, du trafic d'héroïne avait joué un rôle essentiel dans le « coup de grâce porté à Moscou » et il demeurait un atout politique et financier de premier ordre pour toutes les parties en présence aujourd'hui dans la région.

La piste de la drogue

En janvier 1987, *The Herald*, le journal pakistanais en langue anglaise, expliquait que le principal circuit mis en place pour acheminer les armes aux rebelles afghans servait aussi, en sens inverse, au transport de l'héroïne jusqu'au port de Karachi, d'où elle était embarquée à destination de l'Europe et des Etats-Unis. « C'est réellement très simple, pouvait-on lire. Si vous contrôlez les champs de pavot, Karachi et la route qui relie les deux, vous serez si riches que vous contrôlerez le Pakistan. »

Les Etats-Unis qui consacraient des milliards de dollars à financer une vaste armée panislamiste avaient contribué à cet essor. Avant l'invasion des troupes soviétiques, il n'existait pratiquement pas en Afghantistan de production locale et le meilleur spécialiste sur la question, Alfred Mac Coy, dont les enquêtes font autorité, confirme que « durant les premières années des opérations de la CIA en Afghanistan, les territoires près de la frontière pakistano-afghane devenaient le principal fournisseur d'héroïne aux Etats-Unis. Au Pakistan, le nombre de personnes dépendantes de l'héroïne est passé de près de zéro en 1979 à 1,2 million en 1985, un accroissement beaucoup plus grand que celui connu par n'importe quel autre pays. La CIA, rappelle Mac Coy, contrôlait indirec-

tement le commerce de l'héroïne. Lorsque les moudjahidin ont établi leur contrôle sur une partie du territoire
afghan, ils ont donné l'ordre aux paysans de cultiver
l'opium en guise de taxe révolutionnaire. De l'autre côté
de la frontière, au Pakistan, des leaders afghans et des
groupes locaux d'affaires, sous la protection des services
de renseignement, l'ISI, ont mis sur pied des centaines
de laboratoires de production d'héroïne. Durant cette
décennie de commerce de drogue, la DEA, l'agence américaine antidrogue, s'est trouvée incapable de faire
quelque saisie ou arrestation majeure que ce soit. Les
autorités des Etats-Unis ont refusé d'enquêter sur toute
charge en rapport avec l'héroïne et leurs alliés afghans,
parce que la politique américaine relative à la lutte contre
le narcotrafic en Afghanistan fut largement subordonnée
à la guerre contre l'Union soviétique. »

En 1995, le directeur des opérations de la CIA en
Afghanistan, Charles Cogan, avait admis que la CIA avait
sacrifié la guerre contre la drogue pour se consacrer à la
guerre froide. « Notre mission principale était d'infliger
le plus de dommages possible aux Soviétiques. Nous
n'avions pas vraiment les ressources et le temps requis
pour enquêter sur le commerce de la drogue. Je ne crois
pas que nous ayons à nous excuser de cela. Toute situation a ses inconvénients. Il y a eu un inconvénient au
niveau du narcotrafic, oui. Mais l'objectif principal a été
atteint. Les Soviétiques ont quitté l'Afghanistan. »

Alexandre de Marenches, l'ancien patron du SDECE
(devenu aujourd'hui la DGSE), se vantait d'avoir
influencé William Casey, le directeur de la CIA, en lui
suggérant d'utiliser l'arme de la drogue « pour intoxiquer,
m'avait-il raconté, les soldats de l'armée rouge. Casey
avait été séduit par l'idée et m'avait aménagé un rendez-
vous avec Ronald Reagan qui semblait enchanté de cette
sugestion. »

La CIA n'avait pas eu besoin des conseils d'Alexandre de Marenches pour former avec le trafic de drogue un couple ancien et exemplaire de cynisme... En 1955, lorsque les Américains prirent pied au Vietnam, l'agence mit immédiatement la main sur toutes les filières créées par les services français pour financer la guerre.

Une source de profit qui allait permettre à la CIA de monter de multiples opérations échappant à tout contrôle officiel. Même démarche en Afghanistan. Lorsqu'elle livre aux combattants afghans les fameux missiles Stinger qui vont causer de lourdes pertes à l'occupant soviétique, ces livraisons ont lieu en priorité dans les zones où se trouvent les plus importantes productions de pavot. En 1989, au moment où se profile l'éclatement de l'empire soviétique, la production d'opium afghan augmente spectaculairement, passant à 4 600 tonnes métriques. Les bénéfices dégagés serviront à financer des rébellions armées dans plusieurs républiques communistes. La CIA, en liaison avec l'ISI, traite alors avec quinze syndicats du crime, implantés dans une URSS sur le point de se désintégrer, et qui seront les principaux acheteurs de l'héroïne raffinée.

« Nous avons créé l'islamisme terroriste »

Pour un pays comme le Pakistan qui engloutissait plus de 40 % de son budget dans les dépenses militaires et l'élaboration d'un coûteux programme nucléaire, la drogue devenait une solution à de nombreux problèmes. Le trafic d'héroïne avait permis par exemple de financer les opérations secrètes destinées à déstabiliser l'Inde, en soutenant la rébellion au Cachemire. Selon un rapport du 14 mai 2004 de Philippe Raggi, « les services secrets occidentaux se disaient d'ailleurs persuadés qu'une partie de l'équipement de l'armée pakistanaise était payé par l'argent de l'héroïne. L'ISI a donc profité de la situation de guerre civile en Afghanistan pour prendre en main le trafic d'héroïne. Le Pakistan étant un pays à l'identité islamique, il était de son devoir de faire prédominer l'islam dans la région, peu importent les moyens utilisés. »

Ces trafics ont commencé avec l'implication des militaires de l'ISI ayant « des liens familiaux avec des grands barons de l'héroïne des zones tribales et du Pendjab ». Dans les années 80, le brigadier général Imtiaz, qui travaillait sous les ordres du directeur général de l'ISI de l'époque, le général Hamid Gul, aurait dirigé une cellule afin d'utiliser l'héroïne pour les actions clandestines avec l'aval de la CIA. C'est ainsi que les camions scellés qui emportaient des armes dans les régions libérées revenaient chargés d'opium. Cet opium était ensuite livré aux laboratoires des zones tribales (en territoire pakistanais). Des centaines de laboratoires ont été mis sur pied à la frontière pakistano-afghane, dans le Balouchistan (province du Nimruz, du Helmand et de Kandahar) par des leaders afghans et des groupes d'affaires locaux, sous la protection de l'ISI. Une grande partie de ce trafic avait pour but l'enrichissement personnel de certains militaires et constituait une prise en main, par l'Etat pakistanais, des ressources fournies par la drogue.

Franck Anderson, le chef du secteur afghan à la CIA de 1987 à 1989, se rappelle : « Durant la guerre [contre les Soviétiques] personne ne pensait aux complications qui surgiraient dans l'après-guerre. Chacun était occupé à virer les Soviétiques. Le monde musulman était excité par cette perspective et nous ne savions rien des activités liées au terrorisme. »

« Nous avons créé le système de l'islamisme terroriste que nous essayons aujourd'hui de démanteler », m'a confié un membre de la CIA qui a longtemps travaillé en

Afghanistan. Lorsque je lui ai parlé des dénégations de son agence sur les liens avec le trafic d'héroïne, il m'a répondu : « Non seulement la CIA savait et approuvait ce trafic mais elle avait créé une cellule spéciale chargée de promouvoir la culture de l'opium et le raffinage de l'héroïne, aussi bien en territoire pakistanais que dans les zons afghanes contrôlées par les moudjahidin, pour l'écouler ensuite dans les régions tenues par les Soviétiques, afin de les transformer en drogués. »

L'industrie de la drogue s'était mise en place à partir de 1980 mais j'ai retrouvé la trace en 1984 d'un événement savoureux. En 1984, Bush père, alors vice-président, s'était rendu en Afghanistan à proximité des zones tribales. Il venait également en tant que responsable du National Narcotics Border Interdiction System, une agence dont l'objectif était de stopper le trafic de drogue aux Etats-Unis. Ancien directeur de la CIA, il lança : « Trafiquants, vos jours sont terminés et vous appartenez désormais à l'histoire. »

L'Afghanistan a vu sa production passer de 200/300 tonnes par an en 1979, date de l'invasion soviétique, à dix fois plus à la fin des années 90. Au printemps 1994, la première enquête réalisée sur le terrain révélait que les cultures de pavot s'étendaient sur 80 000 hectares, permettant de récolter 3 200 à 3 300 tonnes d'opium. Cette production plaçait l'Afghanistan devant la Birmanie, longtemps numéro un, qui produisait quant à elle entre 2 600 et 2 800 tonnes d'opium en 1993-1994.

Le roi de l'opium

En 1994, justement, j'avais fait l'une des rencontres les plus surprenantes de ma vie : celle du roi de l'opium.

Il s'appelait Khun Sa, vivait en Birmanie dans les contre-forts reculés de l'Etat Shan, et ignorait probablement que sa couronne était menacée par les trafiquants afghans. Il se prétendait le chef des rebelles Shan, une ethnie en lutte depuis des décennies contre le pouvoir central birman dans cette province accidentée, limitrophe de la Chine.

Khun Sa était en réalité le plus gros trafiquant d'hé-roïne au monde et après des mois de négociations pour l'approcher, mon voyage avait duré deux nuits et deux jours. Avec le photographe Gérard Noël, nous avions quitté en pleine nuit la frontière thaïlandaise et nous cheminions sur de petits chevaux chinois qui progres-saient avec peine sur de minuscules sentiers escarpés, détrempés par la mousson et bordant des parois qui plon-geaient à la verticale.

Nous empruntions les routes utilisées par les caravanes acheminant l'opium. La région magnifique et hostile, à la végétation dense, avait provoqué de lourdes pertes, durant la Seconde Guerre modiale, parmi le corps expédi-tionnaire japonais.

Pour Khun Sa, cette zone où il entretenait une armée de 10 000 hommes était un repaire inexpugnable, et il faisait régner la terreur au sein de la population. Une semaine avant mon arrivée, il avait fait dépecer vivant, en public, un chef de village qu'il soupçonnait de trahi-son. Son quartier général ressemblait à un camp de travail Khmer rouge : des enfants en uniforme creusaient des digues et des tranchées. C'était un homme grand et mince, au rire contagieux, qui portait le même uniforme vert olive, parfaitement amidonné, que celui de Fidel Castro. Je lui avais demandé en désignant du doigt les hommes armés qui l'entouraient : « Vos soldats ont-ils le droit de se droguer ? » La réponse avait fusé : « Non. Ils sont immédiatement exécutés. » Mon expérience m'a conduit à observer que les plus grands des salauds affichent toujours des principes. Il avait ajouté : « J'ai proposé aux responsables américains de leur vendre chaque année ma production d'opium, mais ils ont refusé. Evidemment, la CIA n'y a pas intérêt ; c'est elle le plus gros trafiquant. » Après m'avoir tendu son paquet, il avait allumé une cigarette blonde sur laquelle il tira longuement en savourant son effet. J'étais resté confondu par la pauvreté de l'argument.

Peu après, j'avais appris l'histoire étrange de la Nugan Hand Bank. Cette importante banque privée australienne avait perdu son principal dirigeant, Franck Nugan, trouvé mort d'une balle de fusil dans sa Mercedes à côté de Melbourne.

On découvrit dans une des poches de sa veste une carte de visite, à moitié consumée, au nom de William Colby, l'ancien directeur de la CIA. Colby avait une allure de représentant de commerce anodin ou de coiffeur de village, avec sa raie impeccablement tracée et ses lunettes à monture métallique. Mais quand il les retirait, son regard bleu frappait par sa dureté. Il pouvait se montrer d'une extrême cordialité et brusquement se fermer lorsqu'on l'interrogeait de trop près sur l'agence qu'il avait dirigée. C'est exactement ce qui se produisit lorsque je lui parlai de la présence de sa carte dans la poche du défunt. « Je suis avocat de formation et je lui ai donné quelques conseils juridiques. » L'enquête menée par les Australiens allait révéler que la banque servait depuis de longues années de couverture à la CIA pour le recyclage de l'argent du trafic d'héroïne, en provenance de chez Khun Sa et d'Afghanistan.

Les Talibans font flamber les cours de l'héroïne

L'arrivée au pouvoir des Talibans en 1996 ne modifia en rien l'ampleur du trafic. En octobre 2001, le responsable de la DEA (l'office antidrogue), Asa Hutchinson, déclara devant la commission parlementaire sur la justice criminelle et la politique de lutte contre la drogue : « Le sanctuaire dont jouit Bin Laden repose sur le soutien qu'accordent les Talibans au trafic des stupéfiants. Ce lien définit la symbiose, terrifiante, entre le trafic illicite de la drogue et le terrorisme international. »

J'avais eu connaissance du rapport confidentiel du « groupe de Dublin » qui demontrait tout le cynisme de la stratégie suivie par les Talibans. Ce groupe d'experts et de préposés à la lutte antidrogue s'était réuni le 27 mars 2001 dans la capitale irlandaise. Leur conclusion était nette : la véritable raison pour laquelle le régime des Talibans avait interdit la culture du pavot était purement commerciale. Au cours des années précédentes, la production d'opium en Afghanistan était tellement abondante que les prix de gros s'étaient effondrés. Pour maintenir le prix des transactions à un niveau correct, les Talibans avaient d'abord procédé à un stockage important (à tel point que les entrepôts des marchands afghans contenaient suffisamment de stocks pour répondre aux besoins d'héroïne de l'Europe pendant au moins trois ans) et interdit ensuite la culture du pavot.

Une analyse confirmée en 2001 par Bernard Frahi, un expert de l'ONU présent sur le terrain : « Le prix d'achat-vente a énormément oscillé au cours des deux dernières années et a subi les effets tant de la crise internationale dans laquelle est tombé l'Afghanistan, que du volume de récolte, en fonction de l'année. » En 1999, le prix payé aux paysans était de 50 dollars le kilo. Au début de l'année 2000, le prix de l'opium qui n'était plus que de 30 dollars après l'édit promulgué par le mollah Omar le 27 juillet 2000, lequel interdisait ce genre de culture, est passé d'abord à 100 dollars, ensuite à 200-300 dollars le kilo. En mars 2001, en l'absence de récoltes, le prix a même dépassé 600 dollars le kilo pour ensuite se stabiliser, au cours de l'été et jusqu'à l'attentat du 11 septembre, aux alentours de 400-500 dollars. »

La filière de l'héroïne avait été au cœur de toutes les stratégies politiques élaborées en Afghanistan par les services secrets pakistanais et la CIA. Si l'ISI avait choisi de soutenir le chef de guerre Hekmatyar après la chute de l'armée rouge, c'est en grande partie parce que son mouvement intégriste, le Hizb-e-islami, était profondément impliqué dans le trafic de drogue. Après son lâchage, en 1993, la création des Talibans fut l'œuvre conjointe des services pakistanais mais aussi de la CIA et du prince saoudien Turki Ibn Fayçal. Comme l'écrit Philippe Raggi : « Soutenu par l'ISI, lui-même contrôlé par la CIA, l'Etat islamique taliban a grandement servi les intérêts géopolitiques de Washington en ex-URSS. Le commerce de la drogue dans le Croissant fertile a également servi à financer et équiper l'armée musulmane bosniaque, dès le début des années 90, et l'armée de libération du Kosovo (l'UCK). Mais la CIA avait un autre intérêt : utiliser les Talibans dans ses opérations contre l'Iran et pour faciliter la construction de pipelines par la firme Unocal reliant le Turkménistan au Pakistan. »

A mon retour à Kaboul, j'ai pris connaissance du destin exemplaire d'Ayub Afridi, instrument dévoué entre les mains de la CIA et de l'ISI, après la chute du règne taliban. L'histoire récente éclaire souvent le présent. Je déjeunais avec un agent de la DEA, le bureau des narcotiques américain, au Popolano. Ce restaurant est une étrangeté. Italien à l'origine, il a traversé toutes les guerres, toutes les occupations et surtout toutes les destructions de Kaboul. Du temps des Talibans, il servait de rendez-vous régulier à des responsables d'Al Qaeda. Des reproductions hideuses de paysages italiens sont accrochées au mur et la clientèle, comme la nourriture, sont œcuméniques : des femmes voilées avec leurs époux, et à la table à côté cinq hommes des forces spéciales américaines, M16 posé sur la table, pistolet dans la ceinture.

Mon hôte me parle de la trajectoire d'Afridi comme on énonce une parabole qui illustre votre impuissance ou votre dénuement. « Après les accords de Bonn qui mirent sur pied le premier gouvernement post-Taliban, les stratèges à Washington voulaient rééquilibrer l'influence excessive de l'Alliance du Nord en gagnant le soutien de la majorité pachtoune. Alors ils ont sorti de leur chapeau Afridi, unanimement reconnu comme le plus grand trafiquant de drogue du pays. De 1980 à 1989, toute l'héroïne provenant des zones pachtounes passait par ses circuits, soigneusement contrôlés par la CIA et l'ISI. Massoud et l'Alliance du Nord possédaient leurs propres champs de pavot dans le nord du pays. Afridi vivait à côté de Khyber, dans les zones tribales où il s'était fait construire, à Landi Kotal, un véritable palais des Mille et Une Nuits qui avait coûté plus de deux millions de dollars. Chaque pièce de sa résidence portait le nom d'un grand couturier : Lagerfeld, Dior, Armani. Surréaliste ! Mais le plus incroyable est à venir. En décembre 1995, il a quitté inexplicablement son refuge afghan pour se rendre à Dubaï où il a négocié avec la CIA. Personne ne connaît les termes exacts de l'accord, la DEA a été tenue à l'écart, mais il visait à lui redonner une respectabilité. Il a embarqué à bord d'un avion-cargo de l'armée américaine à destination des Etats-Unis, où il a été condamné à trois ans et demi de prison et à 50 000 dollars d'amende, une peine extrêmement légère. Le 25 août 1999, il est revenu au Pakistan où il s'est vu infliger à Karachi sept ans de prison pour la saisie de 6,5 tonnes de haschich à Anvers, dans les années 80. Quelques semaines plus tard, il ressortait libre et regagnait son palais de Khyber, sans qu'aucune explication n'ait été fournie à sa libération. Il a repris le contrôle du trafic d'héroïne sous le régime taliban et a poursuivi son activité après leur chute. Pour la CIA et l'ISI, c'était une pièce maîtresse, le seul homme, croyaient-ils, capable de rassembler les seigneurs de la guerre pachtoune. L'opération a échoué. La CIA a voulu renouveler avec Afridi l'opération Lucky Luciano, le chef de la mafia sorti en 1943 de prison pour convaincre les familles d'aider les forces américaines débarquant en Sicile.

Un autre détail a attiré mon attention dans le parcours sinueux de ce parrain de la drogue. En 1990, après le renversement du Premier ministre Benazir Bhutto, Afridi est devenu député sous l'étiquette de l'Alliance démocratique islamique, un parti fondé par l'ancien directeur de l'ISI, Hamid Gul, l'homme qui jouit toujours de puissants soutiens au sein de l'appareil militaire et sécuritaire pakistanais, le seul à clamer publiquement sa sympathie envers Ousama Bin Laden et l'action d'Al Qaeda, sans être le moins du monde inquiété par Pervez Musharaff.

Le double jeu

Le financement massif des Talibans par l'Arabie saoudite avait d'ailleurs coïncidé avec l'accord signé le 21 octobre 1995 entre le président du Turkménistan, Niyazov, et les dirigeants de la firme californienne Unocal, associée au groupe pétrolier saoudien Delta Oil, détenu en partie par la famille royale. L'accord prévoyait des exportations de gaz évaluées à 8 milliards de dollars et la construction d'un gazoduc qui traverserait l'Afghanistan. Juste avant la prise du pouvoir par les Talibans, l'adjoint du secrétaire d'Etat pour l'Asie du Sud s'était rendu à Kandahar, fief du mollah Omar, et à l'issue de son séjour, il avait déclaré : « Nous sommes préoccupés par les opportunités économiques qui peuvent nous échapper ici si la stabilité politique ne peut pas être restaurée. »

L'ISI encadrait les Talibans, mais aussi Ousama Bin Laden. J'ai tenté de reconstituer les liens existant entre le chef d'Al Qaeda et les services secrets pakistanais depuis son arrivée en 1996 sur le territoire afghan. Apparemment, il constitue dès le début de l'année 1997 une carte importante pour l'ISI, qui envoie régulièrement plusieurs de ses responsables le rencontrer. Le directeur de l'ISI, Mohamed Aziz, et deux de ses anciens dirigeants, le lieutenant général Hamid Gul et le lieutenant général Javed Nasir, se rendent en 1997 à plusieurs reprises à Kandahar pour s'entretenir avec lui. De 1997 à 2001, le chef d'Al Qaeda séjournera à plusieurs reprises à l'hôpital militaire de Peshawar pour effectuer des check-up.

Plusieurs épisodes illustrent les relations équivoques entre Bin Laden et ses protecteurs pakistanais. En 1999, Musharaff, alors chef d'état-major, et Mohamed Aziz, directeur de l'ISI, proposent au chef de l'Etat pakistanais, Nawaz Sharif, d'expédier les terroristes d'Al Qaeda sur les hauteurs de Kargill, dans la province de Jammu et Cachemire, où les affrontements avec l'armée indienne sont incessants. Une telle présence contribuerait, selon eux, à accentuer la pression sur l'ennemi indien.

Après les affrontements dans cette zone, qui conduiront l'Inde et le Pakistan au bord de la guerre totale, le président Sharif découvrira que Musharaff a engagé dans les combats l'armée régulière et non les forces d'Al Qaeda.

Par ailleurs, durant ses interrogatoires par la police de Karachi, Omar Sheikh, le principal accusé du meurtre de Daniel Pearl, a confié que durant une visite à Kandahar, au milieu de l'année 2001, il avait eu connaissance des préparatifs d'Al Qaeda pour les attentats du 11 septembre et qu'il en avait informé Ehsanul Haq, le commandant de la police militaire de Peshawar. Haq est un ami très proche de Mousharaff qui a pris le pouvoir un an et demi plus tôt, un homme de confiance, au point que le général-président le nommera à la tête de l'ISI en octobre 2001. Si ce que prétend Omar Sheikh est vrai, il est impensable que Haq ne l'ait pas informé.

Pourtant, le 4 septembre 2001, le directeur de l'ISI, Mahmood Ahmed, arrive à Washington pour une série d'entretiens avec George Tenet, le directeur de la CIA, des responsables de la Maison Blanche et du Pentagone dont les noms ne seront pas révélés. « Bin Laden, affirmera-t-on ensuite, était au cœur de toutes les réunions auxquelles participait le chef des services secrets pakistanais. »

Le 11 septembre au matin, le directeur de l'ISI prenait un petit déjeuner au Capitole avec le sénateur Robert Graham, président de la commission sur le renseignement du Sénat et de la Chambre des représentants. Un troisième homme est présent : Porter Goss, un représentant de l'Etat de Floride, ami personnel de George W. Bush et vétéran des opérations clandestines à la CIA pendant plus de dix ans. La réunion durera jusqu'à ce que le second appareil percute la tour. « Nous avons évoqué, dira ensuite Graham, le terrorisme et plus spécifiquement le terrorisme en provenance d'Afghanistan. »

Porter Goss, défenseur zélé de Bush et son administration, a ensuite déclaré qu'il n'existait aucune preuve indiquant que le gouvernement ait eu en sa possession des éléments d'information suffisants pour prévenir les attentats. Goss a été nommé par George W. Bush le 10 août 2004 directeur de la CIA en remplacement de George Tenet, démissionnaire.

Mais ce double jeu pakistanais ne s'arrête pas au 11 septembre. Le 7 octobre 2001, le président Musharaff limoge brutalement le général Mahmood, pourtant un de ses proches amis, de la direction de l'ISI, officiellement en raison des liens étroits qu'il continue d'entretenir avec les dirigeants talibans.

La vérité est beaucoup plus crue. Les services secrets indiens ont transmis à Washington des informations apparemment fiables qui révèlent l'implication financière du directeur de l'ISI dans la préparation des attentats du 11 septembre. Le directeur du FBI, Robert Mueller, effectuera spécialement le voyage jusqu'à Delhi pour recueillir lui-même tous les éléments. Le 9 octobre, le *Times of India* apporte des précisions : « Des sources au plus haut niveau confirment que le général a perdu son poste en raison des évidences produites par l'Inde et montrant ses liens avec un des kamikazes qui ont détruit le World Trade Center. Les autorités américaines ont exigé son renvoi après la confirmation du fait que 100 000 dollars avaient été transférés du Pakistan au pirate de l'air, Mohamed Atta, par l'intermédiaire de Omar Sheikh (le meurtrier de Daniel Pearl), à la demande du général Mahmood Ahmed. Des sources gouvernementales importantes confirment que l'Inde a contribué de manière significative à établir le lien entre l'argent transféré et le rôle joué par le chef démissionnaire de l'ISI. Bien qu'ils ne fournissent pas de détails [ces sources] affirment que les données fournies par l'Inde, notamment le numéro de téléphone du mobile d'Omar Sheikh, ont aidé le FBI à remonter et à établir le lien. »

« Tu seras tué par le silence »

Ces révélations suggérant que l'ISI ou même le régime pakistanais pouvaient être impliqués dans les attentats du 11 septembre ne firent l'objet d'aucun commentaire, pas plus à la Maison Blanche qu'au Pentagone ou au Département d'Etat. Comme s'il s'agissait pour l'administration Bush de murer toutes les pistes pouvant remonter jusqu'à la vérité. La commission d'enquête indépendante, malgré la longueur de ses travaux et les moyens dont elle disposait, ne mentionne d'ailleurs pas ces révélations, tout comme elle a écarté les autres faits gênants.

En écoutant les auditions de cette commission, puis en lisant son rapport final, j'ai pensé à cette confidence que m'avait faite Milovan Djilas, rencontré chez lui à Belgrade en 1972, alors qu'il venait juste d'être libéré de prison. Jeune journaliste, j'étais impressionné par cet homme qui avait négocié, en 1948, avec Staline l'avenir de la Yougoslavie. Considéré comme le bras droit de Tito et son successeur probable, il était tombé brutalement en disgrâce pour avoir critiqué les dérives de la nouvelle classe dirigeante au pouvoir dans les pays communistes. Il fallait un courage inimaginable pour saborder ainsi sa carrière. Il habitait un minuscule appartement dans le centre de Belgrade, surveillé en permanence par la police, et s'exprimait dans un excellent français, « appris en grande partie en prison ». Djilas était aussi un écrivain et Tito avait fait interdire qu'on lui donne la moindre feuille de papier. « J'ai traduit, m'avait-il confié en souriant, comme s'il confessait une excellente plaisanterie, *Le Paradis perdu* de Milton en serbo-croate sur du papier hygiénique. » Mais ce qui m'avait le plus frappé dans le récit de cet homme, marqué par les épreuves, c'était sa dernière rencontre avec Josip Broz Tito, son ancien

compagnon d'arme dans la résistance à l'occupant allemand. Tito, qui l'avait fait jeter en prison pour de nombreuses années, l'avait extrait de sa cellule pour le
rencontrer une dernière fois : « Il a pointé son doigt sur
moi, raconte Djilas, et m'a dit : "Toi, tu seras tué par le
silence." »

Cette phrase terrible m'est revenue plusieurs fois à
l'esprit au cours de cette enquête. Le silence est une arme
redoutable pour étouffer ou tuer la vérité. Et il possède
un allié aussi efficacement pervers que lui : l'oubli. Je ne
sais pas si « derrière toute grande fortune, comme le
disait Bossuet et non Balzac, il y a un grand crime », mais
j'ai pu constater que derrière tout grand crime commis il
y a le silence et l'oubli. Les crimes du 11 septembre et
les mystères qui les entourent en sont l'illustration.

C'est le silence justement qui entoure désormais l'ancien directeur déchu de l'ISI, le général Mahmood. Il a
été nommé à la tête d'une grande entreprise publique, ce
qui démontre que sa disgrâce est relative, mais il reste
muet. Ce qui tranche avec le comportement de ses prédécesseurs. Je pense notamment au cas du général Hamid
Gul, grand soutien de la cause islamiste radicale et de
Bin Laden. Gul, toujours proche du pouvoir et de l'ISI,
et dont l'immense fortune repose sur l'octroi de conces-
sions qui lui permettent de contrôler tous les transports
en commun de l'immense métropole d'Islamabad. Gul,
enfin, qui fut le premier, dix jours après le 11 septembre,
à évoquer publiquement la thèse d'un complot entre le
Mossad et la CIA dans les attentats du 11 septembre,
complot dans lequel, a-t-il ajouté, « l'US Air Force était
impliquée ». Une thèse reprise avec conviction dans une
large partie de l'opinion pakistanaise et qui est partagée
aussi bien par les milieux éduqués de Lahore que par les
couches populaires de l'immense métropole de Karachi,

ou encore dans les zones frontalières du Nord-Ouest. Le Premier ministre de cette province du Balouchistan a déclaré que le 11 septembre était un « complot mené par le Mossad israélien pour déclencher une guerre entre chrétiens et musulmans ».

« Un jour, c'est moi qui succéderai à Bin Laden »

Une boutade entendue au Pakistan affirme qu'un « général laïque devient un islamiste dès qu'il a pris sa retraite ». Comme toutes les plaisanteries populaires, elle n'est pas du tout infondée. Le Pakistan et ses dirigeants sont des maîtres de l'ambiguïté. Les propos de Gul sur le 11 septembre visaient sans doute à détourner l'attention des révélations sur les liens entre Mohamed Atta et son protecteur, le général Mahmood. Même si l'ISI est considérée comme un « Etat dans l'Etat », ou encore un « gouvernement invisible », Mahmood, militaire discipliné et ami personnel de Musharaff, aurait-il fait envoyer 100 000 dollars par un proche de Bin Laden au futur pirate de l'air sans en avoir référé au chef de l'Etat ?

Le Pakistan est le seul pays qui m'ait refusé un visa d'entrée au cours de cette enquête. J'ai attendu pendant près de deux mois une réponse du consulat qui n'est jamais venue. Alors j'ai pénétré illégalement en territoire pakistanais, de nuit, venant d'Afghanistan. J'ai franchi la frontière, suivant pas à pas mon guide sur des sentiers accidentés où la moindre chute aurait pu avoir de graves conséquences. L'homme qui marchait devant moi connaissait chaque pouce de terrain et progressait avec une étonnante rapidité malgré l'obscurité. Je m'épuisais à le suivre, mal assuré. Je savais que dans trois heures nous atteindrions Peshawar, mon objectif, et même si je passais sans encombre la frontière, les indicateurs et la police qui quadrillaient la ville pouvaient aisément nous arrêter. Sans visa, après la mésaventure survenue à deux confrères de *L'Express*, partis sans autorisation dans les zones frontalières, je risquais cette fois de passer un long moment en prison. La perspective d'un séjour prolongé dans les geôles pakistanaises m'a brusquement angoissé. Dans la nuit, je ne distinguais ni le chemin sur lequel je marchais, ni le vide que je longeais. Le ciel était constellé d'étoiles. En quête d'une vérité si complexe qu'elle semblait se dérober sous mes pas à chaque instant, je me sentais misérable, angoissé et découragé.

Et puis, en arrivant dans Peshawar, ces sombres pensées se sont peu à peu dissipées. C'est un des lieux que je préfère, il m'évoque la définition de la Sicile par Leonardo Sciascia : « C'est une porte qui n'a jamais empêché quiconque d'entrer ou de sortir. » Cette ville frontière abrite tout : les réseaux d'Al Qaeda, les agents des services secrets chargés de les traquer, une concentration sans égale d'informateurs et d'agents doubles ou triples, se donnant rendez-vous dans les souks animés, même au cœur de la nuit, ou dans les madrasa, ces écoles de prière coraniques. Des hommes se livrant au jeu éternel du mensonge et de la manipulation. Une caravane de chameaux lourdement chargée chemine devant nous dans les ruelles, tandis que l'odeur des épices embaume l'air chaud.

Dans cet univers où le mensonge plausible est aussi finement ciselé par celui qui vous le propose qu'un travail d'orfèvre, je songe à toutes ces informations erronées qui font l'objet de rapports codés envoyés par les agents sur place à leurs directions à Washington, Londres ou Paris.

William Casey, le directeur de la CIA sous Reagan,

l'homme qui avait lancé les opérations clandestines en Afghanistan, m'avait confié que son plus grand plaisir était de lire les rapports que les ambassadeurs étrangers faisaient parvenir à leurs chancelleries. « Beaucoup se vantaient de contacts étroits qu'ils ne possédaient pas avec des membres importants de l'administration, et les informations soi-disant confidentielles qu'ils rapportaient avaient souvent fait déjà dix fois le tour de Washington. » Comme ici.

Il est plus de 2 heures du matin lorsque nous arrivons à la *Guest House*, lieu de rendez-vous avec un proche de l'assassin de Pearl, Omar Sheikh. Un bâtiment modeste de trois étages, une entrée tout en longueur et un propriétaire que le guide va réveiller en montant l'escalier. C'est un homme âgé au visage émacié et méfiant, encadré d'une barbe blanche. Mal réveillé, il se frotte les yeux sous l'ampoule accrochée au plafond qui éclaire la réception. Le guide me traduit ses propos : « Non, l'homme que nous attendons n'est pas arrivé et il n'a aucune réservation à son nom. » Un nom d'emprunt, bien entendu. C'est à Kaboul que j'ai appris son existence et que l'on m'a mis en contact avec lui. Un de mes interlocuteurs m'avait reparlé d'Omar Sheikh, le meurtrier de Daniel Pearl, proche d'Ousama Bin Laden. Une personnalité étrange et complexe dont le parcours incarnait à lui seul les faux-semblants que je découvrais. Beaucoup de gens, en Afghanistan et au Pakistan, avaient croisé sa route mais l'homme dont on m'avait parlé était resté proche de lui jusqu'en 2001. « Au sein d'Al Qaeda ? » avais-je demandé. « Non, au sein de l'ISI et d'Al Qaeda », m'avait-on rétorqué. Désormais officiellement dans les affaires, il partageait son temps entre Rawalpindi, Peshawar et Kaboul.

Quand je suis monté dormir, la chambre minuscule à la propreté douteuse m'a donné envie de repasser immédiatement la frontière.

L'homme est arrivé le lendemain après-midi à 17 heures, sans s'expliquer ni s'excuser. Il devait avoir 35 ans, de taille moyenne, mince dans son chalwar kamiz, le costume traditionnel. « Montons à votre chambre », m'a-t-il dit dans un anglais correct. Il s'est assis au bord du lit sur la couverture douteuse, sans même un regard. « Que voulez-vous savoir sur Sheikh ? » J'ai été surpris qu'il ne l'appelle pas Omar. Je lui ai expliqué le livre que je préparais. Il a hoché la tête machinalement, comme si mon explication en valait une autre. « C'était un homme extrêmement arrogant qui me confiait qu'il était sûr de ne jamais être arrêté, ni par les Pakistanais, ni par les Américains. » J'ai demandé : « Et selon vous, avait-il raison ? » Il a réfléchi, puis a répondu : « Oui. Il connaissait énormément de monde. A Peshawar, je l'avais accompagné chez le gouverneur Haq, qui a été nommé ensuite, par Mousharaff, directeur de l'ISI. Ils se rencontraient visiblement souvent. Haq pourtant n'est pas un homme à se lier facilement. En janvier 2001, j'étais présent à la soirée qu'il a donnée à Lahore pour la naissance de son enfant, une fête somptueuse à laquelle assistaient les principales personnalités de la région. Il était parfaitement détendu, toujours sûr de lui et pourtant, vous savez ce qui est amusant ? Au même moment le gouvernement américain réclamait son arrestation et son extradition et les officiels pakistanais, Musharaff en tête, prétendaient qu'ils n'arrivaient pas à le localiser. Alors que j'ai vu le chef de la police, le responsable de l'ISI et des militaires de haut rang présents à sa fête. »

« Pourquoi bénéficiait-il d'une telle mansuétude ? » D'abord, il ne comprend pas le sens de ma question et me fait répéter le terme anglais *indulgence* (pour *mansuétude*), puis sourit légèrement : « Mais parce qu'il rendait trop de services. Je sais, vous voudriez que je vous dise qu'il travaillait pour la CIA, mais je ne crois pas, même si je n'en ai aucune preuve. Par contre, il était très proche des responsables de l'ISI et très proche également de Bin Laden, au point qu'il m'avait confié : "Un jour, c'est moi qui lui succéderai." Quelle est la formule en Europe ? Vouloir tenir le manche de la poêle ou quelque chose d'approchant. »

En tout cas Sheikh aimait tenir la poêle à pleines mains. Il y a d'abord les photos : celles d'un jeune homme portant des lunettes et affichant une moue arrogante, auxquelles succèdent des clichés montrant un individu barbu, au regard sombre, sur un lit d'hôpital, puis ensuite aux traits épaissis reflétant toujours une certaine morgue.

Omar Sheikh est totalement atypique. Né à Londres dans une riche famille, il grandit en fréquentant les meilleures écoles privées. Il étudie les mathématiques et les statistiques à la prestigieuse London School of Economics, se révèle un as aux échecs et aux arts martiaux et se lance avec succès dans l'activité boursière. En 1992, il rompt avec cette vie, part comme travailleur bénévole pour la Bosnie où il découvre les atrocités commises contre les musulmans. Quand il rentre en Grande-Bretagne, quelques mois plus tard, il est devenu un islamiste radical. En 1993, il s'installe au Pakistan, menant des opérations paramilitaires contre les Indiens pour la libération du Cachemire. C'est de cette époque que date son recrutement par l'ISI. La même année il est arrêté en Inde pour avoir kidnappé trois touristes britanniques et un américain. Ses frais d'avocat sont payés par l'ISI mais il écope d'une lourde peine de prison. En 1999, des pirates de l'air détournent un vol d'Indian Airlines sur Kandahar, le fief des Talibans ; après huit jours de négociations, les 155 passagers sont échangés contre Omar Sheikh et deux autres « combattants ».

Les détails de l'opération révèlent qu'elle a été commanditée par les dirigeants talibans en coordination étroite avec l'ISI. Sheikh est visiblement un élément de prix que les deux parties veulent récupérer à tout prix. A sa libération, il séjourne dans une *guest house* de Kandahar où il est l'hôte du mollah Omar et d'Ousama Bin Laden. Il devient « le fils favori » du chef d'Al Qaeda.

« Je le pendrais moi-même »

Les activités et les compétences d'Omar Sheikh sont multiples : il entraîne les terroristes dont, dit-on, certains des futurs pirates de l'air du 11 septembre, et conçoit un système de communication sécurisé et codé *via* Internet pour Al Qaeda. Selon des témoignages recueillis ensuite, « son avenir paraît sans limites au sein du mouvement ». Et au sein de l'ISI. Ses supérieurs sont le directeur adjoint de l'agence Mohamed Aziz Khan et Izah Shah, un ancien officier de l'ISI, responsable de deux groupes terroristes. Curieusement, Omar Sheikh se rend à deux reprises officiellement en Angleterre en 2000 et 2001, bien qu'il reste soumis à une inculpation pour avoir kidnappé des touristes six ans plus tôt. Selon des sources proches du MI6, les responsables britanniques lui auraient offert une amnistie en échange de révélations sur les réseaux d'Al Qaeda.

Plusieurs versements destinés à deux des pirates de l'air, Mohamed Atta et Marwan Al Shehri, sont envoyés de Dubaï entre juin 2000 et le 10 septembre 2001, veille des attentats. L'auteur des transferts quitte Dubaï pour le Pakistan le 11 septembre au matin après avoir retiré 40 871 dollars de comptes ouverts dans plusieurs banques de l'émirat.

Les enquêteurs arriveront à la conclusion que l'auteur

était Omar Sheikh. L'homme reconnaîtra aussi avoir rencontré Bin Laden en Afghanistan cinq jours après les attentats avant de regagner sa résidence de Lahore, mise à sa disposition par l'ISI. Pourtant, en octobre, il commence à devenir embarrassant lorsque les révélations fournies par les Indiens au directeur du FBI, Robert Mueller, indiquent que 100 000 dollars ont été transférés à Atta sur ordre du directeur de l'ISI. Un mois plus tard, les Etats-Unis relancent son extradition pour le kidnapping d'un citoyen américain sept ans plus tôt. Malgré les pressions de l'ambassade américaine au Pakistan, les officiels prétendent qu'ils ne parviennent pas à le retrouver, alors qu'il vit chez lui et reçoit fréquemment.

Le 5 février 2002, il se rend à son supérieur, Izah Shah, ancien de l'ISI et ministre de l'Intérieur de la province du Pendjab. Ses services le garderont au secret jusqu'au 13, alors que la police pakistanaise le recherche. Sa reddition est rendue public le 13 février. Il avoue le meurtre de Daniel Pearl mais déclare aux enquêteurs qu'il est « sûr de ne pas être extradé vers les Etats-Unis et de ne pas passer plus de trois ou quatre ans en prison ».

Sheikh est un personnage charnière entre Al Qaeda, l'ISI, le 11 septembre et détenteur de trop de secrets pour que les responsables pakistanais, au premier rang desquels Musharaff, acceptent de l'extrader. Au cours d'un entretien tendu avec l'ambassadeur américain, le président pakistanais rappellera qu'il n'existe aucun accord d'extradition entre les deux pays, puis livrera cette confession étonnante à propos d'Omar Sheikh, rapportée par le diplomate : « Je préférerais le pendre moi-même plutôt que de l'extrader. » Dans une de ses ultimes confidences, Omar Sheikh avait expliqué que l'assassinat de Daniel Pearl avait pour objectif d'embarrasser Musharaff, et le président pakistanais avait répliqué que le journaliste américain était « bien trop curieux ».

Jugé, condamné à mort, il est aujourd'hui un homme sur lequel le silence et l'obscurité sont retombés. Son avocat, Moshi Imam, qui a fait appel du verdict, estime que sa condamnation à mort a été prononcée uniquement « parce que le Pakistan veut apaiser les Etats-Unis ».

Plutôt perdre un fou que sacrifier le roi

Cette phrase pourrait résumer la politique menée depuis septembre 2001 par Pervez Musharaff envers l'Amérique et les autres pays occidentaux : leur dire exactement ce qu'ils ont envie d'entendre.

Décrit par Bush comme un « brillant allié dans la lutte contre le terrorisme », le président pakistanais est avant tout un redoutable manœuvrier. Après son arrivée au pouvoir le 12 octobre 1999, l'ancien chef d'état-major de l'armée pakistanaise écarte quelques figures gênantes dont il va se réapproprier indirectement les activités *via* quelques proches. Il fait arrêter le brigadier général Imtiaz, l'ancien chef de la division politique intérieure de l'ISI, en réalité l'homme qui a la haute main sur tout le trafic d'héroïne raffiné au Pakistan et en Afghanistan. Son procès qui aboutit à une condamnation à huit ans de prison, le 31 juillet, révèle un enrichissement surprenant : Imtiaz détient des certificats au porteur pour un montant de 20,8 millions de dollars, un compte de 2,13 milliards de roupies et un compte en dollars à la Deutsche Bank se chiffrant à 19,1 millions de dollars. Il possède également cinq résidences, cinq centres commerciaux et trois magasins. Selon les informations que j'ai recueillies, plus de trente responsables de l'armée et de l'ISI possèdent des fortunes comparables, découlant du trafic d'héroïne. Plusieurs sont des proches de Musharaff.

En 1999-2000, le Pakistan est à la fois un Etat mafieux

et un pays paria, mis au ban de la communauté internationale, suspendu du Commonwealth. Pour Musharaff, le 11 septembre, selon un de ses proches, « a été une véritable bénédiction ». Celui dont George W. Bush était incapable de prononcer le nom durant sa campagne électorale de 2000 devient le « bon général Musharaff », le pilier de la guerre contre le terrorisme. Un mythe qui ne résiste pas à un examen sérieux des faits.

Musharaff, comme d'ailleurs ses prédécesseurs, a toujours utilisé, instrumentalisé les extrémistes islamiques pour accroître l'influence pakistanaise en Afghanistan et créer au Cachemire des tensions avec l'Inde. En tant que chef d'état-major, il supervisait l'appui militaire, logistique, apporté par l'ISI aux Talibans. En 1999, il était directement responsable des affrontements de Kargill, au Cachemire, où des centaines de combattants religieux avaient conduit le Pakistan et l'Inde au bord d'une guerre totale.

Enfin, il y a ce rapport que j'ai eu entre les mains, rédigé en 2002 par la division du contre-terrorisme au Pentagone, un texte qui détaille les liens organiques existant entre le pouvoir miliaire pakistanais, Ousama Bin Laden et les organisations terroristes implantées au Cachemire. Je me demande si ce rapport a été lu par les responsables de l'administration Bush. C'est pourtant un texte éclairant sur le général Musharaff et l'allié pakistanais.

L'ISI et l'armée fournissaient à Bin Laden tout le soutien logistique dont il avait besoin. Les copies des casettes vidéo enregistrées par le chef d'Al Qaeda et ses proches étaient acheminées par l'ISI. A plusieurs reprises, les interviews accordées à des journalistes par Ousama Bin Laden furent filmées avec des caméras fournies par des officiers de l'ISI, les journalistes n'étant pas

autorisés à transporter des caméras et du matériel d'enregistrement quand ils transitaient par Peshawar avant de
se rendre à Kandahar pour rencontrer le chef d'Al Qaeda.

Après les sanctions de l'ONU, durant le régime des
Talibans, interdisant tous les vols à partir et en provenance d'Afghanistan, l'ISI va mettre sur pied un circuit
permettant à des journalistes ou à des visiteurs de marque
d'accéder à Bin Laden. Ils volent jusqu'à Peshawar et de
là sont pris en charge par des agents de l'ISI et des cadres
d'Al Qaeda, même après le 11 septembre. Une réalité que
Musharaff ne peut évidemment ignorer.

« C'est un homme prudent, m'a confié à Londres un
ancien général pakistanais qui l'a longtemps côtoyé. Il ne
sacrifie ses pions que contraint et forcé. » Ce fut le cas,
selon lui, avec Zubaydah, arrêté au Pakistan. Le chef des
opérations d'Al Qaeda, qui allait révéler l'implication des
trois princes saoudiens, était installé à Peshawar d'où il
coordonnait le passage de la frontière pour les hommes
et le matériel d'Al Qaeda. L'ISI n'ignorait rien de ses
mouvements ni de ses activités. Ils ont toujours mis à la
disposition des hommes de Bin Laden un réseau d'habitations à travers le territoire pakistanais. Un jour, ils ont
placé un émetteur sous la voiture qui conduisait Zubaydah à l'une de ses caches et ils ont prévenu l'antenne du
FBI, installée à Islamabad.

« Musharaff, selon cet ancien général, l'a lâché parce
que les pressions américaines devenaient trop fortes et
qu'il avait une obligation de résultat. » Il sourit avant
d'ajouter : « Il a préféré perdre un fou plutôt que de
devoir sacrifier le roi, c'est-à-dire Bin Laden. » Musharaff est conscient d'être un homme menacé à la tête d'un
pays fragile. Il a déjà échappé de peu à deux attentats et
un revolver à crosse d'argent ne le quitte jamais. Selon
mon interlocuteur, « il connaît son seuil de tolérance et il
sait qu'il a besoin de la loyauté de l'ISI pour assurer sa

survie. Or l'ISI n'admettra jamais la capture d'Ousama Bin Laden qui reste pour elle une carte maîtresse dans sa stratégie régionale. Et, ajoute-t-il, je ne pense pas non plus que les Saoudiens aspirent à sa disparition. »

Ce général est un homme malade qui se déplace à l'aide d'une canne et vit désormais entre Londres et Karachi. « Vous savez, me dit-il en conclusion, la politique pakistanaise a toujours reposé sur l'équivoque : recherche d'appuis occidentaux et politique interne et régionale agressivement islamiste parce que l'islam – hélas ou tant mieux, je ne sais pas – est le seul ciment qui permette de faire tenir ce pays. »

Lors de mon séjour en Afghanistan, en mai 2004, je me suis rendu également à Kandahar. L'ancien fief des Talibans reste une ville pesante, oppressante même. Je suis arrivé par avion, à bord d'un vol de l'ONU, la route Kaboul-Kandahar restant toujours peu sûre. L'homme venu me chercher à l'aéroport m'a montré sur le trajet une imposante demeure : « C'est la maison du frère d'Hamid Karzaï, le président. Le pouvoir d'Hamid ne dépasse pas les faubourgs de Kaboul mais tout le monde sait que son frère est un des plus gros trafiquants de drogue. Il aurait vendu 200 tonnes d'opium. » Les rumeurs abondent, peut-être exagérées, mais souvent fondées. Le gouverneur d'Herat, Ismaël Khan, plaque tournante du trafic, aurait transféré 2 milliards de dollars dans les banques suisses. Depuis il a été démis par Karzaï.

A Kaboul, j'avais retrouvé Stephen, qui m'a décrit l'état de délabrement moral du pays : « Des dirigeants corrompus jusqu'à la moelle, au gouvernement et dans les provinces. » J'ai connu Stephen au Cambodge, déjà irréprochable fonctionnaire de l'ONU et honorable correspondant d'un service de renseignement. C'est un des rares hommes que je connaisse qui exercent ce métier sans cynisme. Son cœur saigne réellement – et je l'écris sans ironie – chaque fois qu'il est confronté à la sauvagerie et à l'immoralité des hommes. Il a aujourd'hui 48 ans, mais son indignation reste intacte, tandis qu'il me brosse un tableau du pays. Nous sommes assis dans la salle de restaurant de l'Intercontinental. Il domine Kaboul et Stephen m'entraîne jusqu'à la terrasse, d'où il pointe le doigt : « Là se trouve la résidence du ministre des Tribus et des Frontières, un proche du commandant Massoud. C'est lui le plus grand trafiquant du pays, lié à Karzaï et à Hamid Gul, l'ancien directeur de l'ISI. » Puis il décline une litanie d'autres noms. Corrompus et coupables. « Le plus terrible, c'est que tout le monde le sait, le commerçant de Flower Street ou le porte-faix du marché de Mandawi. Et que dire des Américains ! Vous connaissez l'histoire des trois singes : ne rien dire, ne rien entendre, ne rien voir. C'est à peu près leur attitude, sauf qu'ils font preuve d'une complaisance active. Vous allez à Kandahar après-demain ? D'abord soyez prudent parce que cette zone reste toujours un fief des Talibans et d'Al Qaeda, mais ouvrez aussi les yeux. Vous savez où les trafiquants ont désormais installé leurs laboratoires qui servent à la transformation de l'opium en héroïne ? Je vous le donne en mille : à proximité des bases militaires américaines. Vous croyez que la CIA est en crise au point de l'ignorer ? »

Je ne suis pas resté assez longtemps à Kandahar pour tenter d'apercevoir ces laboratoires mais l'information m'a été confirmée par plusieurs témoins travaillant dans la région.

10

« Mais c'est la guerre là-bas »

La trajectoire et les interventions d'Ousama Bin Laden ressemblent à un véritable dédale, un labyrinthe dont les pistes sont brouillées ou effacées. Ses interventions sur les écrans de télévision sont semblables aux apparitions d'un fantôme revenant nous hanter.

Même si elles se font désormais de plus en plus rares, les nombreuses cassettes audio et vidéo qu'il a enregistrées restent une source de perplexité, tout comme le circuit qu'elles empruntent et qui se termine immanquablement à Al Jazeera, cette chaîne de télévision installée dans le minuscule émirat du Qatar.

La région du Golfe n'est pourtant guère réputée pour avoir favorisé l'éclosion d'une presse libre et indépendante. Créée et financée par la volonté de l'émir, en 1996, la chaîne avait diffusé en juin 1998 un premier entretien de 90 minutes avec le chef d'Al Qaeda regardé par près de 40 millions de téléspectateurs arabes.

Le 7 octobre 2001, toutes les grandes chaînes occidentales reprirent les propos glaçants et menaçants d'Ousama Bin Laden, diffusés encore une fois en exclusivité sur Al Jazeera, comme pratiquement toutes celles qui suivirent. Depuis le début de cette enquête, je m'interroge sur les liens et relais existant entre le milliardaire saoudien et le média qu'il privilégie.

Je venais juste d'arriver à Dubaï, après un séjour en Afghanistan, et j'avais téléphoné à plusieurs contacts arabes pour leur demander de m'aider à prendre des rendez-vous avec les responsables de la chaîne qatarie. J'avais notamment joint au téléphone vers 20 heures le directeur d'un quotidien libanais. Peu après minuit, il me rappela pour me communiquer le numéro de portable du secrétaire privé de l'émir du Qatar auquel il venait de parler et qui attendait mon appel.

Le téléphone sonnait dans le vide mais le lendemain à 11 heures une voix jeune s'enquit de la date de mon arrivée. Il s'agissait de l'assistant du secrétaire privé auquel je répondis que je pourrais être à Doha le lendemain à 12 heures. A l'heure indiquée, une Mercedes noire m'attendait au pied de l'appareil pour me conduire au palais de l'émir. La traversée de Doha, la capitale et seule ville du pays, révélait un ancien village de pêcheurs submergé peu à peu par des constructions récentes, destinées à souligner le changement du statut de l'émirat. Le pétrole et le gaz avaient transformé ce lieu improbable en un pays riche et courtisé. Notamment par la France qui vend à l'émir francophile, séjournant fréquemment à Paris, des quantités d'armement bénéfiques pour notre balance des paiements mais hors de proportion avec les besoins et les moyens réels de cet Etat de 700 000 habitants.

L'assistant assis à mes côtés dans la voiture, vêtu d'une djellaba blanche et du keffieh traditionnel à petits carreaux rouges et blancs, était un jeune homme à lunettes, d'une trentaine d'années, qui s'enquérait poliment de mes activités :

— D'où venez-vous ?

— D'Afghanistan.

Il m'avait contemplé bouche bée comme si j'étais un Martien.

— Mais c'est dangereux. Et où étiez-vous ?

— J'ai circulé à travers le pays et je suis allé à Tora Bora, la montagne où s'était réfugié Bin Laden.

Il eut cette fois un haut-le-cœur. Dans cette Mercedes climatisée aux fauteuils de cuir épais, c'était brusquement l'intrusion du danger.

— Mais c'est la guerre là-bas.

J'allais lui répondre que géographiquement, la zone des combats s'était déplacée et que le Qatar lui-même était impliqué dans cette guerre. Puis je me suis ravisé, certain qu'il l'ignorait.

Pourtant, le Qatar, fidèle allié des Etats-Unis avant d'abriter le Centcom (le Centre de commandement américain coordonnant toutes les opérations en Irak), avait abrité et protégé Khaled Sheikh Mohamed, considéré par les enquêteurs comme le véritable maître d'œuvre des attentats du 11 septembre.

Nous venions de passer devant le ministère des Affaires étrangères, un minuscule bâtiment blanc de trois étages en bord de route, et je repensais à ce que j'avais appris. Les Américains acquirent la preuve, en 1996, que l'émirat servait de base arrière à une dizaine de terroristes, parmi les plus recherchés, d'Al Qaeda. Khaled Sheikh Mohamed faisait partie de ce groupe. Il était l'oncle de Ramzi Youssef, l'organisateur de l'attentat au camion piégé contre le World Trade Center en 1993, et il avait lui-même projeté de faire exploser simultanément, en 1995, onze long-courriers au-dessus du Pacifique. Ce proche de Bin Laden avait confié, dès 1997, à un de ses complices arrêté aux Philippines, vouloir détourner des avions de ligne pour les jeter sur des bâtiments américains.

Louis Freeh, le directeur du FBI à l'époque, n'ignorait rien de ses antécédents quand il avait écrit au ministre qatari des Affaires étrangères une lettre dont l'ancien agent de la CIA, Bob Baer, a obtenu une copie : « Les attentats terroristes dans lesquels nous soupçonnons Khaled Sheikh Mohamed d'être impliqué, menacent clairement les intérêts américains. Scs activités au Qatar menacent aussi les intérêts de votre gouvernement. Vous avez d'ailleurs souligné, lors de notre entretien, que vos services le soupçonnaient de fabriquer des engins explosifs, activité qui constituait un danger potentiel pour les citoyens du Qatar. En outre, vous indiquiez que Khaled Sheikh Mohamed possédait une vingtaine de faux passeports. »

Le FBI avait localisé Mohamed : il travaillait pour la compagnie nationale de distribution d'eau du Qatar, une couverture qu'il n'aurait jamais pu obtenir sans bénéficier des complicités à un haut niveau. Le FBI avait envoyé une équipe à Doha qui demeurait consignée dans son hôtel, tandis que les responsables qataris prétendaient ne pas pouvoir retrouver la trace du terroriste. En réalité, ils l'avaient exfiltré à l'étranger et il fallut attendre mars 2003 pour qu'il soit arrêté au Pakistan dans des circonstances tout aussi troublantes que son départ de l'émirat six ans plus tôt.

Branché sur CNN

Visiblement, ce pays était une terre d'impunité pour les hommes d'Al Qaeda et je comprenais mieux pourquoi Bin Laden, quittant le Soudan en 1996 à destination de l'Afghanistan, avait décidé de faire ravitailler son avion au Qatar. L'émirat lui offrait probablement toutes les garanties de sécurité et savait que les Etats-Unis ne chercheraient pas à l'arrêter. D'ailleurs, l'ambassadeur américain en poste à Doha décida peu après de changer d'activité et de commencer une nouvelle carrière plus lucrative en se mettant au service des Qataris. Alors que ces preuves du double jeu qatari étaient connues à Washington, jamais Bill Clinton n'exerça la moindre pression sur l'émir et ses proches ; au contraire, selon ce qu'on m'a rapporté, l'ambassadeur du minuscule émirat à Washington avait ses entrées constantes à la Maison Blanche. Quelques minutes plus tard, je comprendrai pourquoi.

La voiture, après un bref contrôle à l'entrée, s'engouffre dans une large allée, longeant une pelouse et des massifs de fleurs récemment plantés qui conduisent au palais. Un bâtiment immense, dont les proportions étonnantes abritent la plus grande débauche de marbre qu'il m'ait été donné de contempler. Un dôme impressionnant domine le hall d'entrée en marbre marron aussi vaste que la salle des pas perdus d'une grande gare.

J'ai toujours remarqué que moins les problèmes sont urgents et plus les gens paraissent affairés. C'est le cas dans les couloirs du palais où des hommes, tous vêtus du costume traditionnel, se croisent d'un pas pressé, des dossiers à la main. J'attends une dizaine de minutes dans un bureau, puis la porte s'ouvre brusquement et un homme souriant me tend la main en m'entraînant derrière lui.

— Bienvenue au Qatar, monsieur Laurent.

Le Sheikh Abdulrahman Bin Saud Al-Thani, secrétaire privé de l'émir et membre de la famille régnante, est un homme de petite taille, pétillant, d'une quarantaine d'années, au regard espiègle.

— C'est une très bonne idée de vous intéresser à Al Jazeera et à son influence dans le monde arabe et chez vous.

Les responsables qataris sont ravis que cette chaîne exaspère pratiquement tous les dirigeants du monde musulman. On m'a raconté l'anecdote d'Hosni Moubarak, en visite au Qatar. Il s'était rendu à minuit, de façon impromptue, au siège d'Al Jazeera. Il avait visité les locaux puis s'était tourné vers son ministre de l'Information en s'exclamant : « Et dire que tous ces problèmes viennent d'une minuscule boîte d'allumettes pareille ! »

— S'il vous plaît, envoyez vos livres sur les Bush dédicacés à l'émir et à son épouse. Ils seront très touchés et j'organiserai une rencontre lors de leur passage à Paris. Je vais vous écrire leur adresse.

Il repart rapidement vers son bureau à la recherche de papier, d'un stylo et je remarque un téléviseur allumé dans un angle de la pièce. Des images d'actualité défilent sur l'écran. Je me penche pour mieux distinguer. Le Sheikh qui me vante les mérites et les qualités d'Al Jazeera est branché sur CNN.

« Que puis-je faire pour vous ? »

Une photo accrochée au mur le montre en compagnie de Bill Clinton. « C'est un véritable ami, me dit-il. Il y a quelques mois, il séjournait ici. Mais je l'ai connu à Washington où j'ai été ambassadeur. »

« Regardez. » Il revient avec un album de photos que je feuillette : Clinton dans le bureau ovale ; Clinton avec l'ambassadeur en week-end ; Clinton la tête levée contemplant, émerveillé comme un enfant, le dôme du palais sous lequel je suis passé quelques minutes plus tôt. « C'est un homme délicieux », conclut le Sheikh Al-Thani qui ajoute : « Nous nous voyons ce soir. Je vous invite chez moi – si, si, j'insiste – et je vous téléphonerai pour vous dire à quelle heure. Bonne visite d'Al Jazeera. »

La tornade courtoise s'est éloignée et quinze minutes plus tard, le chauffeur de la Mercedes s'immobilise devant une barrière fermée. Quelques mots échangés avec les gardiens et nous nous garons devant l'entrée principale. Le siège d'Al Jazeera est un bâtiment modeste, sans étage, tout en longueur, au toit bleu et à la façade blanche. Six marches de marbre gris conduisent au hall d'entrée qui fait face à une petite pelouse sur laquelle sont plantés quelques palmiers secoués par la brise.

Un homme sort d'un pas pressé, un portable collé à l'oreille, et m'entraîne avec lui jusqu'à un bureau en préfabriqué situé à quelques mètres. Il a les cheveux gominés, la moustache soigneusement ondulée et un sourire artificiel qui donne l'impression que son visage est en caoutchouc. Il me tend sa carte tout en continuant sa conversation. M. Jihad Ali Ballout, journaliste libanais, est le manager et responsable des relations avec les médias. Son ton au téléphone est arrogant et alterne les rappels à l'ordre déontologiques et les démentis cassants. Après avoir raccroché, il se penche vers moi et me demande en anglais :

— Alors, mon ami, que puis-je faire pour vous ?

Il y a deux choses dont j'ai horreur : qu'un inconnu m'appelle son ami et qu'il me prenne pour un imbécile. Cependant, calmement, je lui explique que je souhaite rencontrer les responsables de l'information. Long soupire, expression contrite, ses doigts feuillettent les pages de l'agenda posé devant lui.

— Nous sommes déjà jeudi. Je ne vois aucune possibilité avant lundi.

J'éclate de rire.

— Je repars demain.

Son visage reflète une bonne volonté désormais impuissante et meurtrie.

— Alors, c'est absolument impossible.

Il allume une cigarette blonde, exhale dans ma direction une bouffée qui semble symboliser le rejet dont je fais l'objet.

— Faites un effort.

Je suis surpris de mon ton posé. Il secoue la tête, réprobateur, lève les yeux au ciel, décroche son téléphone, échange quelques mots, puis repose le combiné.

— Vous avez vraiment de la chance, mon ami, le rédacteur en chef sera libre dans dix minutes.

Il affiche cette fois la mine préoccupée de celui qui a dû se compromettre pour arracher quelque chose d'immérité.

Depuis qu'elle a commencé, quinze minutes auparavant, la manœuvre me paraît d'une affligeante grossièreté. Elle vise à me convaincre que cette chaîne est totalement indépendante de tous les pouvoirs, y compris du Qatar qui la finance, et que si je suis arrivé dans une voiture du palais, je ne bénéficierai pas pour autant d'un passe-droit. Admirable leçon de rectitude morale dont une autre preuve me sera administrée quelques dizaines de minutes plus tard.

« Je ne connais pas le nombre exact »

Le bureau du responsable de la rédaction est une petite pièce donnant sur le *desk* où travaillent une dizaine de journalistes. L'homme qui nous reçoit est corpulent et âgé avec une chevelure blanche. Ahmed Sheikh a pris ses fonctions il y a seulement deux mois. Ce Palestinien au visage soucieux m'explique que la différence entre sa chaîne et les médias occidentaux, notamment américains, « est dans les détails. Nos informations sont presque les mêmes, mais alors que CNN ouvre sur la visite de Rumsfeld en Irak, nous commençons avec la situation en Palestine où 60 personnes et 10 soldats israéliens ont été tués hier. Pour moi, il s'agit d'une situation plus explosive que celle qui prévaut en Irak. Al Jazeera a beaucoup plus les pieds sur terre que les autres médias, nous montrons le côté humain, l'espoir et la souffrance des gens. Nous couvrons le monde entier, y compris des sujets que les autres n'abordent pas, comme la sécession de la province des Moluques, en Indonésie (aux Philippines). Par contre, je n'ai pas voulu diffuser des images de l'exécution de l'otage américain, Berg, alors que CBS l'a fait. »

Je lui réponds qu'aucun média télévisé ne peut prétendre à l'impartialité et que le choix ou le refus d'une image ne sont jamais innocents. CBS a montré l'exécution de l'otage pour conforter le public américain dans l'idée que la menace terroriste est une réalité, alors qu'Al Jazeera ne l'a pas fait pour éviter d'embarrasser son public arabe.

Imperceptible agacement du rédacteur en chef qui me répond : « Al Jazeera est le seul média libre et sans tabou du monde arabe. » J'évite d'ajouter que si M. Sheikh a choisi de privilégier la situation dans les territoires occupés plutôt que l'Irak, c'est peut-être avant tout parce qu'il est palestinien.

— Combien de cassettes d'Ousama Bin Laden ont-elles été diffusées par Al Jazeera ?

Sheikh se tourne vers le manager, responsable des relations publiques.

— Je ne sais pas. Je viens juste d'arriver. Mais il est normal que nous les diffusions. Bin Laden est aujourd'hui un élément important de notre réalité, une page d'histoire en train de s'écrire.

— Je suis d'accord, mais je demande combien d'enregistrements au total vous sont parvenus. Il existe des cassettes vidéo, mais aussi des cassettes audio dont j'ai appris qu'elles étaient enregistrées par une société pakistanaise basée à Karachi du nom d'Al Sahab Productions. Ce nom vous dit quelque chose ?

La tension monte d'un cran dans la pièce. Les deux hommes se concertent du regard.

— Al Sahab, je n'ai jamais entendu ce nom, finit par répondre le rédacteur en chef.

Le responsable des relations publiques fixe sur moi son éternel sourire, empreint cette fois d'exaspération.

— Les gens regardent et croient Al Jazeera, me dit-il, parce qu'elle constitue une plate-forme pour toutes les opinions qui peuvent s'exprimer sans censure. Nous recevons presque quotidiennement des messages audio, vidéo de toutes les provenances et nous décidons ensuite si oui ou non nous les diffusons.

— Vous ne pouvez pas me dire que vous mettez sur le même plan ces envois et les cassettes où s'exprime Ousama Bin Laden, qui vous les fait parvenir en exclusivité. Je voudrais seulement connaître le nombre exact de messages du chef d'Al Qaeda que vous avez reçus, y compris ceux que vous n'avez peut-être pas diffusés.

Le sourire s'élargit et ressemble cette fois à un pont-levis en train de se relever.

— Je ne connais pas le nombre exact.

— Et pourquoi ne connaissez-vous pas le nombre exact qui vous a été envoyé, alors que n'importe quelle chaîne occidentale est en mesure d'indiquer immédiatement combien d'enregistrements elle a diffusés ?

Le sourire cette fois a totalement disparu et la réponse tombe, glaciale.

— Eh bien, disons qu'ils tiennent une meilleure comptabilité et qu'ils sont probablement mieux organisés que nous... Je pense que nous nous comprenons.

— Non, je ne crois pas, mais un autre fait m'intrigue...

Soupirs impatients de mes hôtes.

— Comment se fait-il que vous ayez diffusé ces enregistrements de Bin Laden souvent après qu'ils ont été authentifiés officiellement par la CIA, qui n'est pas l'organisme le plus crédible et le plus objectif concernant Al Qaeda ?

Ahmed Sheikh, le rédacteur en chef, s'agite sur son siège.

— Vous voulez insinuer qu'il existerait un lien entre nous et la CIA ?

— Non, je pose seulement une question qui a trait à un point surprenant : pourquoi ces diffusions coïncident-elles souvent avec l'authentification de la CIA ?

— Nous diffusons sans nous préoccuper des Américains. Nous avons nos circuits par lesquels nous parviennent ces cassettes. La première, après le 11 septembre, est arrivée à notre bureau de Kaboul pendant les bombardements américains.

— Ce n'est pas ce que prétendent les autorités américaines qui affirment que cette cassette est tombée entre leurs mains, à Jalalabad, au cours de la fouille d'une maison par les forces spéciales.

— Désolé, je dois aller travailler.

Sheikh se lève, poignée de main glaciale. Je regagne la sortie en compagnie de Jihad Balloud, silencieux. Sourire minimum, nouvelle et légère poignée de main, toujours sans un mot, mon congé m'est signifié.

Je regagne ma voiture. Quand je quitte Al Jazeera, une tempête de sable s'est levée, enveloppant la ville comme dans un brouillard, gommant tous les contours. J'étais venu à Al Jazeera pour trouver des réponses et non pour assister à cette séance d'amnésie collective.

Mes questions ont visiblement touché un nerf sensible. Peu avant mon départ, un ex-ministre de l'Intérieur d'un pays arabe m'avait confié : « Je connais bien les responsables du Qatar et ceux d'Al Jazeera. Cette chaîne n'aurait jamais pu exister sans l'aval des Américains qui ont d'ailleurs contribué discrètement à sa naissance. Al Jazeera, c'est un robinet qui déverse, souvent à l'état brut, énormément d'informations sur l'état du monde arabe qui peuvent être extrêmement utiles aux services américains et israéliens. »

Je ne sais pas si cette analyse est la réalité, un élément du puzzle que j'essaie de reconstituer. Je pensais naïvement que je pourrais même visionner certaines des cassettes dans leur intégralité et que j'obtiendrais les réponses que je cherchais. Comment et pourquoi des coupes ont-elles été effectuées ? Par qui ? Ce qui n'a pas été diffusé peut parfois se révéler plus important que la séquence projetée. Les cassettes de Bin Laden sont une arme et un enjeu dans la guerre de propagande qui se livre aujourd'hui.

« Désolé, vous ne pouvez pas entrer »

Le Ritz Carlton où je suis descendu est un grand Lego bleu et blanc posé entre le désert et la mer. Le personnel est népalais et en traversant le hall du palace, j'observe des femmes en tchador noir, savourant des tartes aux fraises et des éclairs au chocolat en écoutant une harpiste jouer du Vivaldi.

De la terrasse où je dîne, j'aperçois au loin les feux d'une plate-forme pétrolière installée à proximité des côtes et aux tables qui m'entourent des hommes tirent lentement sur leur narguilé, alors que souffle une brise chaude. Je me demande si les échos de mon rendez-vous tenu à Al Jazeera sont déjà parvenus jusqu'aux responsables qataris. Je suis convaincu que le secrétaire privé de l'émir ne me rappellera pas et pour tuer le temps, je m'amuse à observer les différences de détails existant entre Qataris, Emiratis et Saoudiens, dans le port des vêtements traditionnels. Les djellabas des Qataris ont des boutons de manchettes, le col fermé, tandis que le tissu des keffieh est rejeté en arrière et fixé par un bandeau noir.

Le Qatar partage avec son voisin saoudien une frontière commune et l'adhésion à un islam rigoriste et passablement anti-occidental. Le banquier en « poste » à Dubaï que je venais de rencontrer m'avait déclaré : « Pas un Arabe, pas un dirigeant arabe n'accepterait de livrer Bin Laden aux infidèles Américains, même les responsables saoudiens qui le haïssent. C'est une règle qui s'étend à l'ensemble du monde musulman et à laquelle Musharaff, au Pakistan, ne peut pas déroger. Personne ne veut sa perte, autrement il aurait disparu depuis longtemps. »

A 22 heures, mon téléphone sonne : « La voiture de Son Excellence vous attend devant l'hôtel. » Surprise et curiosité. Nous roulons une quinzaine de minutes sur une route bordée en alternance de palmiers et de lampadaires avant d'arriver à un vaste ensemble de villas, protégées par des gardes à l'entrée. La villa de Sheikh Al-Thani est plutôt modeste. Vaste salon où plusieurs invités sont déjà installés et l'hôte des lieux, toujours aussi attentif et chaleureux, plaisantant, relançant la conversation. Je comprends que cet expert en relations humaines ait réussi à nouer avec Bill Clinton des relations amicales.

Je suis assis à côté de l'ambassadeur de France, invité pour l'occasion. Un homme courtois, plein d'admiration devant le dynamisme des dirigeants qataris. Ce dynamisme, pour moi, est plutôt celui d'un pays rentier, assis sur un trésor gazier et pétrolier. D'ailleurs, à un moment, la conversation porte sur la dernière hausse du prix du pétrole : 38 dollars le baril. « Qui a une calculette, demande le Sheikh en plaisantant à ses invités, pour évaluer nos bénéfices supplémentaires ? »

Une personnalité qatarie, membre du conseil d'administration d'Al Jazeera, me confie : « Presque tous les jours, on me demande de signer des papiers autorisant l'embauche de nouveaux journalistes. » Ce sera le seul moment durant toute cette soirée où la chaîne de télévision sera évoquée. Rien, pas une allusion à mon rendez-vous. Pourtant le secrétaire particulier de l'émir est un des hommes les plus puissants et les mieux informés du pays. Vers minuit, il me raccompagne jusqu'à l'entrée : « Merci d'être venu, monsieur Laurent, et bon retour à Paris. Vous nous quittez demain ? Gardez la voiture et le chauffeur jusqu'à votre départ. »

Mon avion décolle à 17 heures. A midi, je me présente à nouveau devant l'entrée d'Al Jazeera. La barrière reste baissée et un long échange s'engage entre le chauffeur et le gardien qui, au bout de dix minutes, me tend le téléphone. Jihad Balloud, le responsable des relations publiques aux cheveux impeccablement gominés, est au bout du fil :

— Désolé, mon ami, mais je ne peux pas vous laisser entrer.

— Pourquoi ?

— Il aurait fallu nous prévenir à l'avance de votre arrivée et aucun responsable de l'information n'est présent aujourd'hui.

— Mais vous n'êtes pas Fort Knox. Je suis vraiment étonné et même choqué que pour la première fois dans ma vie professionnelle un confrère me refuse l'accès à une salle de rédaction.

Léger rire de gorge devant mon irritation.

— Désolé, mon ami, mais nous avons des règles de fonctionnement que même moi je ne comprends pas toujours.

La voiture officielle reste immobilisée, la barrière ne se lèvera pas pour nous laisser passer et j'en conclus que certains refus sont parfois beaucoup plus éloquents que les réponses fournies.

Ce que je ne comprends pas m'intrigue. Or, entre Bin Laden et son principal adversaire, les Etats-Unis, se joue une partie d'une rare ambiguïté par médias et messages interposés.

« *Au nom d'Allah* »

Le 28 septembre 2001, le quotidien pakistanais *Ummat*, installé à Karachi, publie la première interview d'Ousama Bin Laden depuis les attentats du 11 septembre. L'interview, menée par un « correspondant spécial » dont l'identité n'est pas précisée, pas plus d'ailleurs que la date et le lieu où elle s'est déroulée, est un démenti du chef d'Al Qaeda.

« Au nom d'Allah... qui est le créateur de tout l'univers et qui a fait de la terre une demeure pour la paix... qui a envoyé le prophète Mahomet pour nous guider, je voudrais remercier le groupe de presse *Ummat* qui me donne l'occasion d'exprimer mon point de vue au peuple, spécialement aux vaillants vrais musulmans qui composent le peuple du Pakistan et qui refusent de croire aux mensonges du démon [le général Musharaff].

« J'ai déjà dit que je ne suis pas impliqué dans les attaques du 11 septembre. En tant que musulman, j'essaie de faire de mon mieux pour éviter de dire un mensonge. Je n'ai pas eu connaissance de ces attaques et je ne considère pas l'assassinat de femmes, d'enfants et d'autres humains comme un acte appréciable. L'islam interdit strictement de causer du mal à des femmes, des enfants et d'autres personnes innocentes. Une telle pratique est interdite mais dans le cours d'une bataille, ce sont les Etats-Unis qui infligent de mauvais traitements aux femmes, aux enfants et aux gens ordinaires appartenant aux autres religions, particulièrement les musulmans.

Tout ce qui s'est passé au Pakistan au cours des onze derniers mois est suffisant pour appeler le courroux de Dieu sur les Etats-Unis et Israël. »

Les propos qui suivent sont un long réquisitoire contre les Etats-Unis avec une charge antisémite contre le système américain « totalement sous le contrôle des Juifs américains dont la première priorité est Israël et non l'Amérique. Il est clair que les Américains sont eux-mêmes les esclaves des Juifs et forcés à vivre selon leurs lois et leurs principes ». Des diatribes que l'on peut retrouver fréquemment dans les enseignements des *oulemas* (responsables religieux musulmans) en Arabie saoudite, et dans d'autres pays arabes.

Le 16 septembre, l'agence Afghan-Islamic Press, basée au Pakistan, reçoit un nouveau démenti. Selon l'AFP, le communiqué a été envoyé à l'agence AIP par Abdul Samad, un collaborateur de Bin Laden. Le contenu du texte est plus net encore que l'interview précédente : « Les Etats-Unis pointent le doigt sur nous, mais je déclare catégoriquement que je ne l'ai pas fait. » Il s'agit du premier démenti officiel du Saoudien qui explique qu'il n'a pas les moyens d'organiser une telle attaque en raison des restrictions que lui impose le mollah Omar : « Je vis en Afghanistan, je suis un compagnon d'Amir Al Mumini [le commandeur des croyants] Omar qui ne m'autorise pas à mener de telles activités. »

Le 7 novembre, Bin Laden reçoit pour la troisième fois Hamid Mir. Ce journaliste pakistanais de 36 ans, qui s'est autoproclamé biographe du chef d'Al Qaeda, travaille pour deux publications, *Ausaf* et *Dawn*. Mir, trois heures après les attentats du 11 septembre, avait reçu à son bureau la visite d'un envoyé de Bin Laden, porteur d'un message en arabe dans lequel il approuvait et justifiait les attentats mais niait en être l'auteur.

Le 7 novembre, Mir est conduit dans une Jeep, tous

feux éteints pour éviter les bombardements américains, de Jalalabad aux faubourgs de Kaboul. Six heures de route pour se retrouver dans un camp de combattants arabes où le lendemain matin, 8 novembre à 7 heures, il est reçu par le Saoudien. Celui-ci réitère : « Je n'ai aucun lien avec les attaques menées aux Etats-Unis, mais je les approuve et je les considère comme une réaction aux oppresseurs. »

Entouré de son adjoint, Al Zawahiri, et d'une douzaine de gardes du corps, Bin Laden livre également une précision étonnante quand Mir lui demande :

— Après les bombardements américains sur l'Afghanistan, le 7 octobre, vous avez déclaré sur la chaîne Al Jazeera que les attaques du 11 septembre avaient été mises à exécution par des musulmans. Comment saviez-vous qu'ils étaient musulmans ?

— Les Américains eux-mêmes ont publié une liste de suspects, disant que les personnes nommées étaient impliquées dans les attaques. Ils étaient tous musulmans, quinze étaient saoudiens, deux émiratis et un égyptien. Selon les informations que j'ai, ils étaient tous passagers.

Le plus étrange est qu'il ne cherche pas à tirer profit d'une opération dont il sait pourtant qu'elle peut lui conférer un prestige immense dans les franges les plus radicales du monde musulman. Jusqu'à l'attentat du 11 septembre, Bin Laden n'avait revendiqué que les attentats contre les ambassades américaines au Kenya et en Tanzanie, niant toute implication dans ceux du World Trade Center en 1993 et du *USS Cole* au Yémen. Il faut attendre le 13 décembre et la diffusion d'une vidéo pour que Bush et ses collaborateurs apportent enfin la preuve de la culpabilité du chef d'Al Qaeda.

Cette cassette a pourtant une histoire curieuse. Selon un communiqué du ministère de la Défense américain, publié le 13 décembre 2001, jour de sa diffusion, la vidéo a été découverte à Jalalabad, en Afghanistan, à la fin du mois de novembre. Répondant à l'avance aux questions qui pourraient être posées sur la manière dont elle a été récupérée, le communiqué affirme qu'elle « a été abandonnée par quelqu'un qui est parti précipitamment mais il est également possible qu'elle ait été laissée là inintentionnellement ».

Après sa diffusion sur les chaînes américaines, les détails filtrent et s'affinent peu à peu : la cassette aurait été découverte lors de la fouille d'une maison abandonnée de Jalalabad. Par qui ? Les dirigeants américains refusent d'abord de répondre, puis déclarent qu'elle a été transmise au Pentagone par une personne anonyme ou un groupe. George W. Bush l'aurait visionnée en novembre mais aurait décidé de retarder sa diffusion jusqu'à une authentification complète.

L'enregistrement d'une quarantaine de minutes, de très mauvaise qualité, montre Ousama Bin Laden conversant avec plusieurs personnes, notamment un visiteur présumé saoudien, appelé énigmatiquement Shaykh. Le chef d'Al Qaeda évoque les dix-neuf pirates de l'air, déclarant : « Les frères qui ont mené l'opération savaient tous qu'il s'agissait d'une opération martyre et nous avions demandé à chacun d'eux d'aller en Amérique, mais ils ne savaient rien sur l'opération, pas même une lettre [...]. Mais ils étaient entraînés et nous leur avons révélé l'opération juste avant qu'ils embarquent dans les avions. » Il confirmait également que Mohamed Atta dirigeait le groupe et un peu plus loin dans l'enregistrement confessait sa responsabilité dans les attentats, en déclarant : « Nous avons calculé que les étages [des tours] qui seraient frappés [par les avions] seraient au nombre de trois ou quatre. J'étais le plus optimiste de tous. Etant donné mon expérience dans le domaine [de la construction], je pensais que le feu déclenché par le fuel contenu dans les appareils ferait fondre la structure en acier du bâtiment et provoquerait la chute de la partie où il y avait eu l'impact, ainsi que les étages supérieurs. C'est tout ce que nous avions espéré. »

Bin Laden confie à Shaykh, son visiteur saoudien, qu'il avait été informé, le 6 septembre, de l'heure et de la date des attaques, et qu'il avait appris leur déroulement le 11 septembre à 17 h 30, heure afghane, en écoutant sa radio.

« J'étais assis avec le docteur Ahmed Abu Al Khan. Immédiatement, nous avons entendu l'annonce qu'un avion avait frappé le World Trade Center. Nous avons cherché sur le poste les stations donnant des nouvelles de Washington [...]. Ils étaient fous de joie quand le premier appareil a percuté le bâtiment. Je leur ai dit : "Soyez patients." »

Une vidéo ambiguë

Dès le 10 décembre, trois jours avant son passage sur toutes les chaînes de télévision, George W. Bush avait déclaré qu'il était enclin à une diffusion rapide de la cassette. « Les gens réaliseront qu'il [Ousama Bin Laden] est non seulement coupable de meurtres inouïs, mais qu'il n'a ni conscience, ni âme et qu'il représente la lie de la civilisation. » Interrogé sur les déclarations que lui avaient inspiré les déclarations du chef terroriste, Bush répond : « Cela m'a simplement confirmé à quel point il est un meurtrier et à quel point notre cause est juste [...]. C'est un homme qui veut détruire tout semblant de civilisation pour montrer sa puissance et satisfaire sa gloriole [...]. Il est si maléfique qu'il est prêt à envoyer des jeunes gens au suicide, tandis que lui se cache dans des grottes

[...] et je suis parfaitement conscient que si nous voulons le maintien de la paix et de la lumière, nous devons lui faire rendre des comptes devant la justice, et c'est ce que nous ferons. »

Le soir même, le président américain s'adresse solennellement à la nation, déclarant que « des milliers de vies ont été soudainement stoppées par le diable » et appelle à prier pour les familles et les amis des victimes du 11 septembre.

Pourtant, l'examen attentif de cette cassette soulève autant de questions que son contenu est censé apporter de réponses. Démentant le communiqué officiel du Pentagone qui prétendait qu'elle avait été découverte fin novembre, le magazine de CNN *Crossfire* affirme que la cassette a été visionnée par le président Bush dès le début du mois de novembre. Le quotidien londonien *The Independent* du 14 décembre, ayant eu accès à des sources « bien informées », estime que la vidéo a été enregistrée le 9 novembre.

La question de la date revêt une grande importance : en effet, les images montrent à l'évidence que les séquences ont été tournées durant le mois de ramadan. Aucune boisson ni nourriture, pas même du thé ou des dattes n'ont été disposés devant les hommes qui entourent Ousama Bin Laden. Pas même devant son invité saoudien. Or cette année-là, le ramadan commençait le 17 novembre. L'enregistrement n'a donc pu être effectué le 9 novembre, comme le prétend *The Independent*, et encore moins parvenir entre les mains du président américain à peu près vers les mêmes dates.

Le journaliste Hamid Mir qui l'a rencontré, le 8 novembre en début de matinée, raconte : « Ousama m'a demandé si j'avais faim et il a fait apporter du beurre, de la confiture, du pain, du lait et du thé. Il mangeait beaucoup et m'a dit que quand je rentrerais et publierais ses propos, ce serait repris par les médias du monde entier. »

Si cette réunion a été filmée le 9 novembre, d'autres détails manquants sont étonnants. En effet, depuis le 7 octobre, les forces américaines se sont engagées dans une vaste offensive militaire ciblant les villes et les camps tenus par les Talibans ; des bombardements aériens appuyés par les forces britanniques et les missiles tirés des sous-marins.

Le 9 novembre, justement, survient un épisode important : Mazar-e Charif, la grande ville du Nord, qui constitue un verrou pour les forces talibanes, tombe aux mains des troupes de l'Alliance du Nord, commandées par le général ouzbek Rashid Dostom. Presque au même moment, Bin Laden et ses troupes se préparent à abandonner Jalalabad pour gagner leurs refuges dans les montagnes de Tora Bora.

Nous sommes à un tournant crucial de cette guerre et pourtant, à aucun moment, la conversation entre Bin Laden et ses compagnons ne fait mention du conflit en cours sur le territoire afghan. Comment, dans un pays bombardé où toutes les voies d'accès sont périlleuses, le « Sheikh » saoudien a-t-il pu circuler et parvenir jusqu'au chef d'Al Qaeda ? Cet invité saoudien est également une figure intrigante. Ses propos sont souvent odieux, choquants et il s'exprime sur un ton qui est beaucoup plus celui d'un disciple de Bin Laden que d'un véritable sheikh, généralement une figure religieuse ou un leader tribal.

A un moment, il rapporte une question qui lui a été posée en ces termes : « Comment va Sheikh Bin Laden ? » De nombreux connaisseurs du monde arabe ont relevé cette incongruité. Un Arabe ne s'adresse jamais à quelqu'un qu'il connaît personnellement en l'appelant par son nom de famille, comme en Occident. Tout Arabe dirait : « Comment va Sheikh Ousama ? »

De même, dans l'enregistrement les citations du Coran et les *Hadith* sont mélangés, souvent incomplets et confus, et témoignent d'une méconnaissance des références islamiques qui surprend de la part de Bin Laden et d'un « sheikh » véritable. Le dialogue est également ponctué de références à des « rêves » et des « visions » pendant plus d'une année émanant de plusieurs personnes, notamment une femme. Des remarques totalement étrangères à la tradition salafiste à laquelle Bin Laden appartient.

La vérité est la première victime

Un dernier élément rend hautement improbable la découverte de la cassette au début du mois de novembre, dans une maison abandonnée de Jalalabad : à cette période, les troupes américaines ne sont pas parvenues jusqu'à cette ville et le chef de guerre Haji Zahir, l'homme fort de la région qui a mené l'offensive contre les Talibans, m'a assuré que personne n'avait fait une telle découverte.

« Monitor », un programme de la télévision allemande, semblable au magazine américain « 60 minutes », a diffusé le 22 décembre 2001 une expérience intéressante. Ses responsables ont obtenu du département d'Etat américain la version arabe de la cassette et l'ont fait analyser par des experts indépendants, arabes et allemands, linguistes, spécialistes du Moyen-Orient.

« Et regardez, déclare le présentateur, la traduction anglaise que le gouvernement américain a présentée au monde est non seulement manipulée en partie, mais contient des erreurs.

« Nous avons demandé à des traducteurs, travaillant pendant plusieurs jours, indépendamment l'un de l'autre, de comparer la traduction du Pentagone et le texte en arabe ; nous avons filtré les bruits et les interférences et pris en considération chaque interprétation possible. »

Le résultat : docteur Abdel El M. Husseini, érudit en langage et culture arabe : « J'ai soigneusement contrôlé la traduction du Pentagone. Elle est très problématique. Les passages les plus importants, ceux qui sont supposés prouver la culpabilité de Bin Laden, ne sont pas identiques au son arabe.

Exemple 1 : selon la traduction du Pentagone, Bin Laden déclare : "Nous avons calculé à l'avance le nombre de victimes ennemies." » Selon le docteur Murad Alami, universitaire et traducteur : « *A l'avance* n'existe pas dans la version arabe originale. Il n'y a pas de malentendu possible. Personne ne peut comprendre ça. »

Commentaire des responsables du magazine : « Au-delà, les traducteurs sont d'accord pour estimer que cette sentence n'implique pas que le nombre des victimes ait été planifié ou calculé à l'avance. »

Exemple 2 : dans la traduction américaine Bin Laden affirme : « Nous avions été prévenus depuis le jeudi précédent que l'événement se déroulerait ce jour. » Pour le docteur Murad Alami, « précédent » n'est pas prononcé. Dans la version arabe il est impossible d'entendre la mention « l'événement se déroulerait ce jour ».

Exemple 3 : dans la version américaine, le chef d'Al Qaeda confie, à propos des pirates de l'air : « Nous avons demandé à chacun d'eux d'aller en Amérique. » Pour Murad Alami, « l'usage du *nous* dans la traduction est incorrect ». La version arabe mentionne "il était attendu d'eux", ce qui vient après est inaudible. »

Commentaire de l'émission : « Coupable ou non coupable ? Si le gouvernement américain veut démontrer la culpabilité de Bin Laden, il devra produire de meilleures preuves. »

Conclusion du présentateur, Klaus Bednarz : « Dans une guerre, la vérité est la première victime. C'est vrai pour tous les camps. »

Ce fut la seule cassette vidéo diffusée directement par les responsables américains ; les suivantes le furent toutes par Al Jazeera, comme si le chef d'Al Qaeda voulait reprendre le contrôle de son image, de ses propos et de sa propagande.

Conclusion

Au terme de ce livre, le 11 septembre m'apparaît comme un astre noir et glacé, un continent profondément enfoui que j'ai tenté en partie d'exhumer.

Je n'avais jamais été confronté à une enquête aussi déroutante et paradoxale où les réponses obtenues suscitaient de nouvelles questions encore plus dérangeantes ; où les acteurs et témoins de cette tragédie semblaient afficher plusieurs visages, tenir plusieurs rôles.

Le 11 septembre ressemble à un vaste labyrinthe où une vérité en trompe l'œil dissimule une réalité complexe. Il est probable qu'elle fascinera encore longtemps chercheurs et historiens.

En 2001, lançant la guerre contre le terrorisme, George Bush affirmait : « Ceux qui ne sont pas avec nous sont contre nous. » Il aurait mieux fait de déclarer : « Ceux qui sont contre nous sont avec nous. »

En fouillant dans les zones d'ombre entourant le 11 septembre, j'ai découvert des alliances surprenantes, et parfois contre nature, au niveau politique mais aussi économique et financier. Quelle a été l'implication exacte de l'Arabie saoudite détentrice de 24 % des réserves mondiales du pétrole, officiellement un allié des Etats-Unis, en réalité un ennemi de l'Occident ; tout comme le Pakistan, seule puissance musulmane détentrice de l'arme nucléaire ? Quel fut le rôle exact de Bin Laden, l'homme le plus recherché de la planète, qui semble aujourd'hui totalement sorti des mémoires de l'administration Bush ?

Au fur et à mesure que j'avançais dans cette enquête, le parallèle avec un autre événement historique s'imposait : l'assassinat du président Kennedy.

Dans ces deux tragédies, tout semble avoir été fait pour interdire l'accès à la vérité. Telle est la conclusion à laquelle je suis arrivé. J'avais lu le rapport Warren et je l'ai comparé à celui de la commission d'enquête sur le 11 septembre. Le premier évoquait la plupart des hypothèses, pour les réfuter, le second ne prend même pas cette peine. Il ignore complètement tous les faits troublants, les contradictions et les mensonges avérés.

L'assasinat du président américain en 1963 demeure un mystère entouré de mensonges ; le 11 septembre, lui, reste un ensemble de mensonges, entouré de mystère.

Notes bibliographiques

Chapitre 1

1. *Christian Science Monitor*, 17/12/2001, Tora Bora Falls But Not Bin Laden, Phillip Smucker.
2. *Asia Times*, 30/11/2001, Central Asia-Russia Pepe Escobar.
3. *The Guardian*, 23/08/2003, Inside story of the end for BinLaden Rory Mc Carthy.
4. *Le Monde*, 19/9/2001, Robert Fisk.
5. AFP, 3/09/2003, La zone tribale pakistanaise dernier repère de Bin Laden.
6. *Sunday Herald*, 7/10/2001, Family ties, The Bin Laden.
7. ABC News, 10/01/2002, Inside Tora Bora Caves, John Mc Wethy.
8. *Times Online*, 11/12/2001, Inside the Tora Bora Caves, Matthew Forney.
9. *Washington Post/Washington Post Newsweek Interactive*, 5/12/2001 : Inside the mountain.
10. *Sun Newspapers*, 2/11/2002, Graphiques 1&3.
11. Knight Ridders News services, 5/12/2001, KRT Direct-KRT Web-Ready Graphics/Tora Bora.

Chapitre 2

1. *Chicago Suntimes*, 19/9/2003 (No profiteering on terror attacks /David Roeder).
2. Reuters, 16/12/2001.

3. *San Francisco Chronicle*, 29/09/2001 (Suspicious profits sit uncollected Airlines investors seem to be lying low, Christian Berthelsen, Scoot Winokur, Chronicle staff writers).
4. CIA Website, 16/03/2001.
5. *Washington Post*, 17/03/2001.
6. *Financial Times* (Asian Edition), 10/08/2001.
7. *Financial Times*, 18/10/2001.
8. *Washington Times*, 15/06/2001.
9. Fox News, 16/10/2001.
10. CNN, Daniel Sieberg, 28/09/2001.
11. *Haaretz*, 26/09/2001.
12. *The Guardian*, Julian Borger, John Hooper, 1/10/2001.
13. Herzliyya International Policy Institute for Counter terrorism, black Tuesday : The world's largest insider trading scam ?
14. *Bloomberg Financial News*, 18/09/2001 : US, Germany, Japan investigate unusual trading before attack (Judy Mathewson and Michael Nol).
15. ABC News, World News Tonight.
16. Associated Press, 20/09/2001, témoignage de Paul O'Neil devant la Commission bancaire du Sénat.
17. *Herald Sun* (Australie), 22/09/2001.
18. Associated Press, 22/09/2001.
19. BBC News, 18/09/2001, Bin Laden share gains probe.
20. Associated Press, 3/10/2001, Pre-attack trading probed, Marcy Gordon.
21. *Dow Jone Business News*, 20/09/2001.
22. *New York Times*, 28/09/2001 : Regulators find no evidence that advance knowledge of attacks was used for profits/ Eichenwald, Kurt and Edmund L. Andrews.
23. *San Francisco Chronicle*, 19/09/2001, New scrutinity of airlines options deals/ Chrisitian Berthelsen.
24. Reuters, 19/12/2001, German firm probes final World Trade Center deals.
25. *New York Times*, 15/09/2001.
26. *The Independent*, 14/10/2001, Mystery of terror insider dealers, Chris Blackhurst.

27. *Baltimore Business Journal*, 31/12/2001.
28. *Washington Post*, 17/03/2001, Colorful outsiders is named n° 3 at CIA.

Chapitre 3

1. 9/11 Commission Report, Final report of the national commission on terrorist attacks upon the United States.
2. *Pensacola News Journal*, 17/09/2001, Senator Seeks answers on Hijackers ties to Navy base/ Larry Wheeler.
3. *Washington Post*, 17/09/2001.
4. *Newsweek*, 15/09/2001.
5. *Newsday*, 27/07/04, Murky facts plaguing probe, John Riley/Shirley Perlman.
6. *The Independent*, 29/09/2001, What muslim would write, Robert Fisk.
7. US Department of Justice Federal Bureau of Investigation 14/09/2001, 27/09/2001.
8. *Daily Telegraph*, 23/09/2001.
9. *The Independent*, 17/09/2001.
10. Associated Press, 29/09/2001.
11. BBC, 23/09/2001.
12. CNN, 13/09/2003.
13. *Tagesspiegel*, 13/01/2002, interview avec Andrea Von Bülow.
14. *New York Times*, 16/09/2001.
15. NBC, Meet the Press, 16/09/2001.
16. CNN.
17. Associated Press, 28/09/2001.
18. *Sun Sentinel*, 28/09/2001, Multiple identities of Hijack suspects confound FBI, Mitch Lipka.
19. *New York Times*, 19/06/2002, For agent in Phoenix..., Jim Yardley/Jo Thomas.
20. Associated Press, 10/05/2002.
21. *Los Angeles Times*, 27/01/2004, Clues Missed on 9/11 plotters, Greg Miller.

22. National Commission on Terrorist Attacks upon the United States.
23. *Fortune*, 22/01/2003, Five degrees of Osama, Nicolas Stein.
24. *USA Today*, 16/12/2002, Thomas Kean Named to 9/11 pannel.
25. *Time Magazine*, 20/12/2003, Condi and the 9/11 Commission.
26. Associated Press, 17/03/2004, Hope Yen.
27. CBS, 12/11/2003, deal on 9/11 papers.
28. *New York Times*, 28/01/2002, 9/11 says it needs more times.
29. National Commission on Terrorist Attacks upon the United States, Statement of Mindy Kleinberg, 31/03/2003.
30. *Newsday*, 22/10/2001, Stolen info and faked addresses complicated FBI Job of naming Hijackers.

Chapitre 4

1. *American Free Press*, 1/12/2002, Christopher Bollin, Was the NRO's 9/11 drill just a coïncidence ?
2. *Aviation Week*, 3/06/2002, Exercise Jump starts response to attacks, William B. Scott.
3. Associated Press, 22/08/2002, Agency planned exercise on 9/11 built around a plane crashing into a building, John J. Lumpkin.
4. *USA Today*, 19/04/2004/NORAD had drills of jets as weapons/ Steven Komarov.
5. Associated Press, 19/10/2001.
6. *New York Times*, 15/10/2001, After the attacks Matthew L. Wald.
7. Newhouse News Service, 25/01/2002, Hart Seely.
8. *Philadelphia Daily News*, 11/10/2003, Why don't we have answers to these 9/11 Questions ?, William Bunch.
9. National Law Enforcement and Security Institute/Site internet, Biographie John Fulton.

10. *Washington Post*, 7/03/2002, New photos show attack on Pentagon, Christina Pino-Marina.
11. *Washington Post*, 17/06/2004, Air defenses faltered on 9/11, Dan Eggen.
12. Mitre Corporation site Internet.
13. Right Web, Christopher Williams, Northrop Grumman.
14. *Washington Post*, 16/09/2001.
15. *London Times*, 14/06/2002, Michael Evans.
16. *Frankfurter Allgemeine Zeitung*, 14/09/2001.
17. *New York Times*, 26/09/2001, David Sanger.
18. *Sunday Telegraph*, 16/09/2001, Israeli security issued urgent warning to CIA of large-scale terror attack, David Wasteel.
19. *The Independent*, 17/09/2001, Andrew Gumble.
20. *Los Angeles Times*, 17/11/2001, Marc Fineman.
21. Institute for Public Accuracy, 29/12/2000, Rumsfeld ; Starwars Booster.
22. *Body of Secrets*, James Bamford, Doubleday, 2001.
23. *La Puce et les Géants*, Eric Laurent, Fayard, 1984.
24. *Times of London*, 14/05/2003, Firm was cover for CIA.

Chapitre 5

1. *Vanity Fair*, octobre 2003, Saving the Saudis, Craig Unger.
2. *House of Bush House of Saud*, 2004 Scribner, Craig Unger.
3. *Why America slept*, Random House, Gerald Posner, 2003.
4. Associated Press, 2/09/2003, Richard Pyle.
5. Time online Edition, 31/08/2003.
6. Vinnell corp. Site Internet.
7. Counter Punch, 31/01/2003, Kean Insight, Chris Floyd.
8. Dual Use Aspects of Commercial High Resolution Imaging Satellites, Gerald Steinberg, Mideast Security and Policy studies, février 1998.
9. *Time Magazine*, 31/08/2003.
10. Orbimage site internet.
11. EIRAD International Trading Company site Internet.

12. *Orlando Sentinel*, 14/03/2004, John Freeman.
13. *History News Network*, 15/09/2003, Interview with Gerald Posner.
14. *Village Voice*, 20/04/2004, James Ridgway.
15. *Wall Street Journal*, 27/09/2001, In Defence Spending due to ties to US Bank Daniel Golden, James Bandler, Marcus Walker.
16. CBS News, 18/12/2003, Saudi Alert sees suicide bomb risk.

Chapitre 6

1. *The Observer*, 1/03/2003, See no Evil, Greg Palast.
2. BBC News Night, 6/11/2003.
3. *Newsweek*, 10/12/2003, Whose war on terror.
4. *Front Page Magazine*, 9/12/2002, Saudi Stench, Stephen Shwarz.
5. *Jewelers Circular Keystone*, 17/10/2001, Board Member of Diamond Business is Accused of Funding Bin Laden.
6. Policy Watch, 11/03/2002, Tackling the Financing of Terrorism in Saudi Arabia/Matthew Levitt.
7. *Chicago Tribune*, 29/10/2001, US : Money trail leads to Saudi, David Jackson.
8. *New York Times*, 13/10/2001, Jeff Gerth, Judith Miller.
9. *Chicago Tribune*, 16/10/2001, Assets Frozen, Laurie Cohen.
10. BBC, 21/10/2001.
11. *Washington Post*, 2/11/2001, Al Qeda Cash tied to diamond trade Douglas Farrah.
12. Treasury department releases list of 39 additional specially designated global terrorist, 10/12/2001.
13. *Le Soir*, 8/11/2002, Alain Lallemand.
14. *New York Times*, 21/11/2001, Susan Sachs.
15. *Times Magazine*, 19/11/2001, Fresh clues along the money trail, Michael Weisskopf.
16. *US News and World Report*, 19/11/2001, Al Qeda's dollar pipeline takes some strange twists/ Edward Pund.

17. *Other Facets*, décembre 2001, Al Qeda, The Diamond Connection.
18. *Chicago Tribune*, 14/10/2001, Paul Salopek.
19. *Forbes*, 6/12/2002, Kadi's Al Qeda money trail to the KLA.
20. www.mine.mn Global diamond resources inc.
21. *Al-Sharq al-awsat*, 14/10/2001.
22. www.ptechinc.com.
23. Diamond Studies.com, 16/11/2001, Antwerp Blamed again.
24. *Blood from Stones*, Douglas Farrah, Broadway Books, 2004.
25. *The News Karachi*, 8/05/2004.

Chapitre 7

1. Associated Press, 17/12/2001, US arrest of israelis mystery, Doug Saunders.
2. CNN, 28/09/2002/Daniel Sieberg.
3. *Haaretz*, 23/03/2004, Odigo says workers were warned of attack, Yuval Dror.
4. *Washington Post*, 28/09/2001, Instant messages to Israel warned of WTC attack.
5. *Israel Insider*, 21/12/2001, Ellis Shuman.
6. *Washington Report on Middle East Affairs*, juin 2000, Richards H. Curtiss.
7. BBC News, 19/11/2001, Hijackers farewell love letter.
8. *Toronto Star*, 26/05/2004, Anthonia Zerbisias.
9. *Die Zeit*, 14/10/2002, Next door to Mohammed Atta, Oliver Schröm.
10. *Sunday Herald*, 2/11/2003, Five Israelis were seen filming.
11. ABC News, 24/06/2002, White vans were Israelis detained on 9/11 Spies ?
12. *Haaretz*, 10/03/2002, Israelis officials denies report that Mossad followed 9/11 terrorists.

13. *New York Post*, 13/09/2001, Al Guart.
14. Globe-Intel, 17/06/2002, The Mossad and 9/11, Gordon Thomas.
15. *Forward*, 15/03/2002, FBI defuses Israeli spying rumors, Marc Perelman.
16. Fox News, 12/12/2001, Carl Cameron.
17. Fox News, 17/12/2001, Carl Cameron investigates, 4 parties.
18. *Los Angeles*, 27/09/2001, Knowledge that planes might be used as missiles.
19. Strategypage.com 7/11/2003, Playing chess in the dark with task force 121.
20. CNN, 28/09/2001, FBI probing threatening messages.
21. *Jerusalem Post*, 26/10/2001.
22. *Haaretz*, 17/09/2001.
23. *Israel National News*, 26/10/2001, Arutz Sheva.
24. www.cooperativeresearch.org.
25. Insight, 19/12/2001, Paul Rodriguez, FBI probes Espionage at Clinton White House.
26. *Dangerous Liaison*, Andrew and Leslie Cockburn, Harper Perennial, 1991.
27. *Sunday Times*, 21/05/2000, Israeli spies taped Clinton e-mail/ Uzi Mahnaimi.

Chapitre 8

1. *Why America slept*, Random House, Gerald Posner, 2003.
2. Web site du FBI Ten most wanted fugitives, novembre 2001.
3. http ://www.fbi.gov/mostwant/topten/fugitives/laden.htm.
4. BBC News 20/09/2001, US rejects Bin Laden ruling.
5. IslamOnline, 23/10/2001, Osama Bin Laden : A primitive rebel, Mohammed El-Sayed Saeed.
6. *Asia Times*, 07/2002, Osama at large, Pepe Escobar, 4 articles.
7. *Out of Afganisthan. The Story of the Soviet Withdrawal*,

Diego Cordovez, Selig Harrison/Oxford University Press 1995.
8. *The New Yorker*, 12/11/2001, The House of Bin Laden, Jane Mayer.
9. Associated Press, 13/09/2001.
10. *Washington Post*, 11/04/2004, Danna Milbank, Walter Pinkus.
11. *La Guerre du pétrole*, Léonard Mosley, Presse de la Cité, 1973.
12. *Les Illusions du 11 Septembre*, Olivier Roy, Le Seuil, 2002.
13. *Critique Internationale*, Presses de Science-Po, n° 14, janvier 2002.
14. *Esprit*, octobre 2001, août, septembre 2002.
15. *Asia Times*, 30/10/2001, Pepe Escobar.
16. BBC News 19&22/08/2002, Saudi investors could withdraw US funds.
17. *Global Free Press*, 15/7/2003, Terence J. Kevlan.
18. http ://www.fbi.gov/facts and figures 2003.
19. *Washington Post*, 21/08/2001, Cheryl Thompson.
20. *Los Angeles*, 30/5/2002, Eric Lichtblau.
21. *The New Yorker*, 14/1/2002, The counter terrorist par Lawrence Wright.
22. UPI, 27/03/2002, Mike Kirkland.
23. *Le Monde*, 19/9/2001, Robert Fisk.

Chapitre 9

1. *Asia Times*, 4/12/2001, US turns to drug baron to rally support, Syed Saleem Shahzad.
2. *Asia Times*, 29/05/2004, Pakistan on the march again, Syed Saleem Shahzad.
3. *Financial Times*, 10/08/2001, Heroin, Taliban and Pakistan, B. Raman.
4. *Far Eastern Economic Review*, 18/04/2002, Great Leap Backwards.

5. *Star Tribune*, 4/11/2001, Sebastian Younger.
6. *The Observer*, 31/03/2002, The myth of the good General Musharraf, Samina Ahmed, John Norris.
7. *Times Magazine*, 6/05/2002, Has Pakistan Tamed its Spies ?, Tim Mc Girk.
8. *The Times of India*, 9/10/200, India Helped FBI Trace ISI-Terrorist Links, Manoj Joshi.
9. Département d'Etat US, 4/10/2001, La drogue est la pricipale source de revenus des Talibans, Charlene Porter.
10. BBC News, 30/12/2001, Pakistan Spy Service aiding Bin Laden.
11. Checkpoint.com, 7/12/2003, 4/1/2003, Le grand jeu de l'ISI, Philippe Raggi.
12. *New York Times*, 8/7/2002, Dexter Filkins.
13. *The New Yorker*, 28/1/2002, The getaways Seymour, M. Hersh.
14. *New York Times*, 13/09/2001, Powell says it clearly, Jane Perlez.
15. *Los Angeles Times*, 23/1/2002, Paul Watson.
16. CNN, 1/10/2001 sources ; Suspected terrrorist leader was wired funds through Pakistan.
17. *The Times of India*, 14/2/2002, Siddharth Srivastava.
18. Associated Press, 2/02/2004.
19. *Newsweek*, 11/11/2001.
20. Rediff.com, 13/07/2001, Musharraf only has two options, interview avec Hhamid Mir.
21. *Press Trust of India*, 8/10/2001.
22. *Dawn* (Pakistan), 9/10/2001.
23. Rapport sur le trafic de drogue en Afganisthan, 03/2002, Antonio di Pietro, président de la délégation du Parlement européen pour l'Asie centrale.
24. *New York Times*, 10/04/2004, Afghan route to prosperity, Amy Waldman.
25. *The Progressive*, 08/1997, Drug Fall out the CIA forty years complicity in the narcotics trade.
26. *New York Times*, 2/08/2003, James Risen.
27. *Los Angeles Times*, 1/09/2002, The plot Terry Mc Dermott.

28. *Vanity Fair*, 27/02/2003, Daniel Pearl, les derniers jours d'un journaliste.

Chapitre 10

1. *Al Jazeera*, Mohammed El Nawawy et Adèle Iskandar, Westview Press 2002.
2. http ://www.intelcenter.com, 4/01/2004, Osama Bin Laden Audio Tapes.
3. *The Guardian*, special report 2004 Timeline El Qaeda Tapes.
4. Département d'Etat US, 13/12/2001, Us releases video tape of Bin Laden.
5. *The Guardian*, 13/12/2001, Simon Jefferie.
6. Monitor (TV allemande), 20/12/2001, Bin Laden Video faulty translation as evidence/Jorg Restle et Ekkehard Sikert.
7. *Umat* (Pakistan), 28/09/2001, interview de Bin Laden.
8. AFP, 10/12/2001, Bush enclin à la diffusion de la vidéo-cassette de Bin Laden.
9. *Afghan Islamic Press*, 16/09/2001, Bin Laden : I categorically state that I have not done this.
10. *Dawn* (Pakistan), 10/11/2001, interview de Bin Laden par Hamid Mir.
11. CNN, 12/09/2003, Tape of alleged 9/11 hijacker broadcast.
12. *Washington Post*, 2/02/2002, America is doomed, Howard Kurtz.
13. *Washington Post*, 12/02/2003, Dan Eggen.
14. CNN, 10/09/2003, Bin Laden tape surfaces.
15. CNN, 11/09/2003, Audio tape : the real battle has not started yet.
16. Associated Press, 11/09/2003, Possible Bin Laden video aired, Sam Ghattas.
17. CNN, 19/10/2003, Al Jazira Aires Purported audio tapes.
18. *The Guardian*, 15/12/2001, US urged to detail origin of tapes, Steven Morris.

19. *Time Asia*, 01/1999, Interview de Bin Laden avec Rahimullah Yusufza.
20. CNN, 12/09/2001, Bin Laden videotape's release postponed.
21. *Dawn* (Pakistan), 27/09/2001, Eleven questions about the Osama video, Prof Khurshid Ahmad.
22. *Washington Post*, 11/04/04, Memo tracks warnings on bombing Hijacking, Dana Milbank.

Je remercie vivement Ahmed Atram, Marie d'Arenberg, Shlomo Hilevi, Frédérique Drouin, et surtout Christian Paris, pour leur aide et leur compréhension, ainsi que tous ceux qui ont accepté de me rencontrer, rompant avec la véritable « loi du silence » qui entourait cette enquête.

Table

Transcontinental
IMPRESSION
IMPRIMERIE GAGNÉ

IMPRIMÉ AU CANADA